Ja!
genau

Deutsch als Fremdsprache

Kurs- und Übungsbuch

Claudia Böschel
Dagmar Giersberg
Sara Hägi

A1
Band 1

Cornelsen

Ja genau! A1/1
Deutsch als Fremdsprache

Im Auftrag des Verlages erarbeitet von:
Claudia Böschel, Dagmar Giersberg und Sara Hägi

In Zusammenarbeit mit der Redaktion: Andrea Finster

Konzeptionelle Mitarbeit: Hermann Funk

Bildredaktion: Nicola Späth
Projektleitung: Gunther Weimann

Beratende Mitwirkung: Bernhard Falch, Michael Koenig, Christina Lang, Barbara Laue,
Ester Leibnitz, Lidia Wanat

Illustrationen: Joachim Gottwald
Layoutkonzept und technische Umsetzung: sign, Berlin
Umschlaggestaltung: Rosendahl Grafikdesign, Berlin

Weitere Kursmaterialien:
Audio-CD für den Kursraum ISBN 978-3-06-024166-8
Sprachtraining A1 DaZ (ISBN 978-3-06-024163-7) und DaF (ISBN 978-3-06-024162-5)
Handreichungen für den Unterricht ISBN 978-3-06-024172-9

www.cornelsen.de

1. Auflage, 2. Druck 2010

Alle Drucke dieser Auflage sind inhaltlich unverändert und können im Unterricht nebeneinander
verwendet werden.

© 2009 Cornelsen Verlag, Berlin

Druck: CS-Druck CornelsenStürtz, Berlin

ISBN 978-3-06-024157-6

 Inhalt gedruckt auf säurefreiem Papier aus nachhaltiger Forstwirtschaft.

Die Autorinnen im Gespräch
Anstelle eines Vorworts

Ein neues Lehrwerk?

Ja genau! Es ist unsere Antwort auf die aktuellen Anforderungen an den DaF- oder DaZ-Unterricht, wie zum Beispiel ...

Oh ja, ich kenne sowohl die Praxis als auch die Curricula und weiß, wo es immer hakt. Die **heterogene Lernerschaft** und die zum Teil sehr schwierigen Rahmenbedingungen sind eine echte Herausforderung.

Ja, genau. Auch wir kennen die Praxis mit all ihren Schwierigkeiten, aber auch Erfolgversprechendes. Und dazu gehören unserer Meinung nach **ganzheitliche Ansätze**, der **Fokus auf die Stärken der Lernenden**, also **ressourcenorientiertes Arbeiten** – und natürlich **Humor**. Und wir schätzen effektive Automatisierungsübungen und ...

Ich habe ja schon einiges beim ersten Durchsehen entdeckt: Manchmal muss man vor- oder zurückblättern, sodass bereits Behandeltes unter einem anderen Aspekt wieder aufgegriffen wird, Stichwort **Lernschleifen**. Es gibt viele Angebote zur Binnendifferenzierung, wie zum Beispiel den Übungstyp Schon fertig? und mit **Musik**, **Bewegung** und **Visualisierungen** werden alle Lerntypen angesprochen.

📖 27

✔ Schon fertig?

Ja, ganz genau. Wichtig war uns außerdem, dem Lernenden Raum zu lassen, um **zu verweilen** und **sich einzubringen**. Wir wollen neugierig machen und **Interessen wecken** und vor allem ist uns wichtig ...

▶ Und wie geht es weiter?

Meinen Sie den Dosenöffner?

Ach, Sie kennen den?

Ja, den habe ich in der HRU (Anmerkung der Redaktion: **H**andreichung für den **U**nterricht) gefunden: Er weist auf ein Grundprinzip hin. Die Idee ist natürlich nicht neu, den Lernenden das Werkzeug an die Hand zu geben, damit sie **selbstständig im deutschsprachigen Raum zurechtkommen**. Aber der Öffner veranschaulicht das ganz nett.

Genial, dass Sie die HRU gelesen haben. Aber was wir eben sagen wollten: Vor allem ist uns wichtig, dass die Lernenden **genauer hinschauen** bzw. **hinhören** und dadurch immer wieder **Aha-Erlebnisse** haben.

Klar, deswegen ja auch der Titel. Mir ist übrigens dadurch erst bewusst geworden, wie oft ich eigentlich „Ja genau!" sage ...

Und wir erst! Jedenfalls hoffen wir auf viele Erkenntnisse – beim Deutschlernen und Deutschlehren. Wir freuen uns sehr auf den **Dialog** mit Lehrenden und Lernenden und wünschen viel Spaß und Erfolg mit *Ja genau!*

Ja genau!

- ein Lehrwerk für Erwachsene ohne Vorkenntnisse

- in sechs Bänden:
  Band 1 und 2 führen zur Niveaustufe A1, Band 3 und 4 zu A2,
  Band 5 und 6 zu B1 des Gemeinsamen europäischen Referenzrahmens

- Das Lehrwerk bereitet auf folgende Prüfungen vor:
  Goethe-Zertifikat A1: Start Deutsch 1; telc Deutsch A1; ÖSD A1
  Goethe-Zertifikat A2: Start Deutsch 2; telc Deutsch A2; ÖSD A2
  Goethe-Zertifikat B1: Zertifikat Deutsch; telc Deutsch B1; Deutsch-Test für Zuwanderer;
  Österreichisches Sprachdiplom Deutsch

- Jeder Band hat sieben Einheiten.

- Jede Einheit besteht aus zehn Seiten:
  zwei Einstiegsseiten, vier Präsentationsseiten, eine Projektseite, eine Extra-Seite mit fakultativem
  Zusatzmaterial, eine „Ich kann ..."-Seite als Zusammenfassung der Lerninhalte und eine Über-
  gangsseite „Und wie geht es weiter?", die auf das kommende Thema einstimmt.

- Der Übungsteil ist ins Kursbuch integriert. Zu jeder Einheit gibt es fünf Seiten mit Übungen
  sowie eine Seite, die den Lernwortschatz präsentiert.

- In das Kurs- und Übungssbuch eingelegt ist eine Audio-CD für Lernende (mit allen Hörtexten
  des Übungsteils sowie dem Dialogtraining aus den Einheiten).

- Neben dem Kurs- und Übungssbuch gibt es noch: ein Trainingsheft, eine Audio-CD für Lehrende
  (Kursraum-CD) und die Handreichungen für den Unterricht.

Legende

Die Symbole und ihre Bedeutung

(◎) Hier gibt es etwas zu hören.
5 Wo? Zahl = Tracknummer der Kursraum-CD für Lehrende.
   Nur die Tracknummern im Übungsbuchteil beziehen sich auf die im Buch eingelegte CD.

Hier arbeiten Sie zu zweit.

Hier arbeiten Sie mit Dialogen – in fünf immer gleichen Schritten.
Sie werden in Einheit 1 und 2 (vgl. S. 9 und S. 19) genannt, danach taucht nur noch
die Hand als Symbol auf.

27 Hier müssen Sie vor- oder zurückblättern. Wohin? Die Seitenzahl ist angegeben.

Was!? Schon fertig? Hier finden Sie weitere Aufgaben.

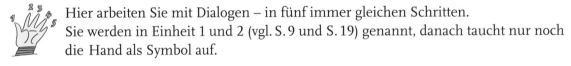 Hier werden Sie aufgefordert, das Erlernte in der Welt draußen auszuprobieren. Wenn Sie nicht in
D A CH lernen, nutzen Sie das Internet oder probieren Sie die Aufgabe im Kursraum aus.

Hier finden Sie zusätzliche Übungen, wenn Sie etwas vertiefen wollen.

Inhalt

Wie heißen Sie?

1 Lesen Sie. Und Sie?

Ich heiße Priya.

Ich heiße Dimitri Kordalis.

Ich heiße Ivo.

Ich bin die Lehrerin. Ich heiße Iris, Iris Albert.

Ich heiße Charu.

2 Guten Tag und Auf Wiedersehen.
a) Ordnen Sie zu.

1. Hallo, wie geht es Ihnen? ☐   2. Tschüss. ☐   3. Auf Wiedersehen und vielen Dank. ☐

4. Tschau. ☐   5. Guten Tag. ☐   6. Alles Gute! ☐   7. Grüß Gott. ☐

b) Gehen Sie im Kurs herum. Sagen Sie „Hallo" und „Auf Wiedersehen". Variieren Sie.

You have as many lives as languages you speak.

Tienes tantas vidas como idiomas sabes.   Ne kadar çok dil bilirsen o kadar çok yaşamın vardır.

Deutsch international

3 Was kennen Sie? Markieren Sie.

Temperatur	Familie	Kaffee
Orchester	Professor	Tennis
Pyramide	Literatur	Ticket
Sekunde	Doktor	Schokolade
Camping	Pizza	Alphabet
Tee	Genie	Kilometer
Auto	Mathematik	Technik
Computer	Minute	Supermarkt
Telefon	Oper	Steak
Thema	Information	DVD
Symbol	Appartment	Gitarre
Musik	Hotel	Rezeption
Taxi	Bibliothek	Dialog
Chance	Zentrum	Meter
Zigarette	Bar	Hamburger
Dokument	Bus	Zoo
Person	Marmelade	Kindergarten
Theater	Polizei	Gruppe
Universität	Radio	Suppe
Politik	Tabu	Cola

4 Sammeln Sie 20 Wörter aus Aufgabe 3.

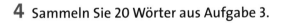

Musik ♪	Essen & Trinken 🍽	Stadt ⓘ	Job 📁

Mein Lieblingswort ist „Dialog"!

Ja? Mein Lieblingswort ist „Schokolade"!

Ich und du

Wie heißen Sie?

1 Die Namen sagen. Machen Sie eine Geste.

sich kennen lernen ▸ sich begrüßen und sich verabschieden
W-Fragen: *was, wie, wer, wo, woher* ▸ die Satzmelodie ▸ das Alphabet
Zahlen bis 100 ▸ *Du* oder *Sie* ▸ erste Satzfragen ▸ erste Verben (Singular)

1

2 Dialoge.

a) Wie heißen die Personen? Hören Sie den Dialog.

◀ Guten Tag, Frau … Äh, wie heißen Sie?

▮ Ich heiße Ismi Kasa.

◀ Wie bitte?

▮ Ismi Kasa.

◀ Frau Kasa, aha. Kommen Sie aus Bonn?

▮ Ich wohne in Bonn. Aber ich komme aus der Türkei. Und Sie?

◀ Ich komme aus Russland. Ich bin Pavel Malon.

▮ Und wo wohnen Sie?

◀ Ich wohne auch in Bonn.

Ich komme aus Italien.
Ich komme aus der Türkei.
Ich komme aus der Ukraine.

b) Woher kommen die Personen? Hören Sie den Dialog.

◀ Hallo, ich bin Sarah und wer bist du?

▮ Ich heiße Issayase.

◀ Issayase. Schöner Name. Ist das arabisch?

▮ Nein, das ist äthiopisch. Ich komme aus Äthiopien.

◀ Interessant.

▮ Und woher kommst du?

◀ Ich bin aus Australien.

▮ Wohnst du auch in Innsbruck?

Ist der Name …
türkisch?
griechisch?
russisch?
…

c) Dialogarbeit: fünf Schritte

1. Hören und leise mitlesen
2. Hören und nachsprechen (Track 4)
3. Hören und laut mitlesen
4. Zu zweit lesen
5. Alle Wörter in Rot variieren

 Guten Morgen.   Guten Tag.   Guten Abend.

Grüß Gott.(D-Süd, A) / Hallo. / Grüezi.(CH) / Servus.(A)
Auf Wiedersehen. / Gute Nacht. / Ade.(CH)
Tschüss. / Tschau. / Servus.

Wie heißt du? / Wie heißen Sie?   Ich heiße … / Ich bin …
Wie geht es dir? / Ihnen?   Danke, gut.

Woher kommst du? /
Woher kommen Sie?   Ich komme aus … / Ich bin aus …
Wo wohnst du? / Wo wohnen Sie?   Ich wohne in …

 Schon fertig?
Schreiben Sie einen Dialog. Der Kasten hilft.

Buchstaben und Laute

3 Satzmelodie. Hören Sie und lesen Sie leise mit.

1. Ich heiße Ismi **Kasa**. ↘
2. Kommen Sie aus **Bonn**? ↗
3. Ich komme aus der **Türkei** ... → ... und wohne in **Bonn**. ↓

4 Punkt . oder Fragezeichen ?? Hören Sie und ergänzen Sie.

Markus fotografiert Franz ☐   Markus fotografiert Franz ☐

5 Hören Sie noch einmal Dialog a) auf Seite 9 und markieren Sie die Sätze mit ↗ → ↘.

9

6 Summen Sie den Dialog.

Guten	Tag,	Frau ...	Äh,	wie	heißen	Sie?
hmhm	hm.	hm	hm, →	hm	hmhm	hm? ↗
Ich	heiße	Ismi	Kasa.			
hm	hmhm	hmhm	hmhm. ↘			

7 Das Alphabet. Hören Sie und sprechen Sie nach.

Aa Bb Cc Dd Ee Ff Gg Hh Ii Jj
Kk Ll Mm Nn Oo Pp Qq Rr Ss Tt
Uu Vv Ww Xx Yy Zz ßß

Umlaute
Ää   Öö   Üü

8 Buchstabieren Sie Ihren Vor- und Nachnamen.

Raus mit der Sprache: Fragen Sie drei Personen in der Sprachschule nach ihrem Namen und woher sie kommen.

Tipp
Groß schreibt man: Namen und Nomen und das 1. Wort im Satz.

✓ **Schon fertig?**
Rückenbuchstabieren. Schreiben Sie Buchstaben oder Wörter aus den Dialogen und raten Sie.

Zahlen

 9 Hören und lesen Sie. Sprechen Sie nach.

Eins, zwei, drei, vier,
was machst du hier?
Fünf, sechs, sieben
mein Auto schieben,
acht, neun, zehn,
das kann ich seh'n.

10 Wer ist schneller? Zählen Sie von 11–30. Vorwärts und rückwärts.

elf, zwölf, dreizehn, vierzehn …   zweiundzwanzig, einundzwanzig

zehn 13 drei   zwanzig und 24 vier

11 Zahlenreihe. Alles mit 3 ist „hatschi".

eins   zwei   hatschi   vier   fünf   hatschi

12 Telefonnummern. Hören Sie zu und notieren Sie.

Marco: _____   Sonja: _____

Sebastian: _____   Nihan: _____

13 Diktieren Sie Ihre Telefonnummer. Es klingelt? Richtig.

✓ **Schon fertig?**
Rätsel: Welche Zahl kommt als nächstes?

| 1 | 3 | 2 | 6 | 4 | 12 | 8 | 24 | ? |

 eins   elf

 zwei   zwölf

 drei   dreizehn

 vier   vierzehn

 fünf   fünfzehn

 sechs   sechzehn

 sieben   siebzehn

 acht   achtzehn

 neun   neunzehn

zehn   zwanzig

einund-
zwanzig

Lernst du Deutsch?

◉ **14** Du oder Sie? Sehen Sie die Fotos an. Ordnen Sie die Sätze zu.
10 Kontrollieren Sie mit der CD.

1. _E_ Hallo, lernst du auch Deutsch?
2. __ Ich bin Tim. Lernen Sie auch Deutsch?
3. __ Ja. Woher kommst du?
4. __ Guten Tag. Wie geht es Ihnen?
5. __ Hallo, ich bin Herr Wolf. Und wer bist du?
6. __ Danke, gut. Und Ihnen?

💬 **15** Ja oder Nein? Fragen und antworten Sie.

‹ Kommst du aus Italien? ❘ Nein, ich komme aus Spanien.
‹ Kommst du aus Marokko? ❘ Ja, ich komme aus Marokko.
‹ Kommst du aus ...? ❘ Nein, ich komme aus ... /
Ja, ich komme aus ...

‹ Wohnst du in Nürnberg? ❘ Ja, ich wohne in Nürnberg.
‹ Wohnst du in ...? ❘ Nein, ich wohne in ... /
Ja, ich wohne in ...

‹ Bist du Maria? ❘ Nein, ich bin Claudia.
‹ Bist du ...? ❘ Nein, ich bin ... / Ja, ich bin ...

ich bin ➡ *du bist*

16 Endungen. Markieren Sie wie im Beispiel.

‹ Wohn**st du** in Berlin? ❘ Nein, **ich** wohne in Leipzig.
‹ Lernst du Chinesisch? ❘ Nein, ich lerne Deutsch.
‹ Kommst du aus China? ❘ Nein, ich komme aus der Türkei.
‹ Verstehst du Spanisch? ❘ Nein, ich verstehe Türkisch.

17 Ergänzen Sie die Tabelle.

	lernen	wohnen	kommen	sein
ich	lern___	wohn___	komm___	bin
du	lern___	wohn___	komm___	___

Endungen
ich = -e   du = -st

18 Was machen beide gern?
a) Lesen Sie und markieren Sie.

 Das ist Pavel aus Russland. Er schwimmt und joggt gern. Er fotografiert gern und er kocht auch gern. Aber malen? Das mag er nicht.

 Das ist Maria aus Griechenland. Sie kocht gern. Sie lacht gern und sie singt auch gern. Aber joggen? Das mag sie nicht.

b) Ergänzen Sie die Tabelle.

	singen	schwimmen	kochen	
ich	sing___	schwimm___	koch___	gern
du	___	___	___	gern
er/sie	___	___	___	gern

Endungen
ich = -e   du = -st   er/sie = -t

singen

19 Wie geht es weiter? Fragen Sie mit den Verben rechts.

Wer singt gern?   *Wer lacht gern?*   *Wer schreibt gern?*

lachen

20 Fünf Verben. Schreiben Sie Sätze mit *ich, du, er/sie*.

Ich male gern. Du malst gern ...

schreiben

21 Pantomime. Die anderen raten.

schwimmen

schwimmen

fotografieren

22 Eine/r fragt – eine/r antwortet.

Wer singt gern?   *Ich singe gern.*   *Ich nicht. Aber ich lache gern.*

kochen

rauchen

✔ **Schon fertig?**
Und Sie? Schreiben Sie einen Text wie in Aufgabe 18.

Ich bin ...   Ich ... und ... gern

joggen

malen

Alle zusammen.

23 Wir machen ein Klassenporträt.
a) Sammeln Sie Fragen. Machen Sie ein Interview.

> *Wie heißt du?*
> *Wo wohnst du?*
> *Woher kommst du?*
> *Was machst du gern?*

b) Machen Sie ein Foto oder malen Sie ein Bild von Ihrem
Interviewpartner.

c) Stellen Sie den Interviewpartner im Kurs vor.

> *Das ist Kazushi. Er kommt aus Japan,*
> *er kocht und er fotografiert gern.*

d) Bringen Sie ein Bild von Ihrer Heimat mit.

e) Machen Sie ein Plakat.

www.wikipedia.de

24 Kennen Sie die Melodie? Hören Sie und singen Sie den Text.
Ergänzen Sie Namen und Orte aus dem Kurs.

11

> Hey, du, wie heißt denn du?
> Bist du Tanja oder Maria?
> Und kommst du aus Moskau oder aus Prag?
> Bist du aus Spanien? Hallo, guten Tag!
>
> Hey, Sie, wie heißen Sie?
> Sind Sie Herr Sánchez oder Herr Yildirim?
> Und sind Sie aus Izmir oder Athen?
> Sind Sie aus China? Wie schön, Sie zu seh'n.

Wer? Wo? Was?

12

a) Wer spricht? Hören Sie den Dialog und kreuzen Sie an.

☐ Vater und Sohn   ☐ Freunde   ☐ Nachbarn

b) Buchstabieren Sie das Wort „Gegensprechanlage".

Wissenswertes

Was ist der häufigste deutsche Nachname? Und in Ihrem Land?

Der Name *Müller* ist in Deutschland über 320 000 mal im Telefonbuch. Die meisten *Müllers* wohnen in Berlin, nämlich 15 876.
Der Name *Wolfgang Müller* kommt in Deutschland am häufigsten vor.

www.wikipedia.de

Echt passiert

Solomon Lakew aus Äthiopien erzählt: Ich gehe zum
Ausländeramt und die Frau fragt: „Wo wohnen Sie?"
Ich sage: „In der Einbahnstraße 16." Die Frau: „Das
geht nicht. Die gibt es nicht." „Doch. Einbahnstraße.
Es gibt ein Schild. Ich wohne in der Einbahnstraße."

Ich kann ...

fragen	antworten
Wie heißen Sie? / Wie heißt du?	Ich heiße ...
Wer ist das?	Das ist ...
Wer sind Sie? / Wer bist du?	Ich bin ...
Woher kommen Sie? / Woher kommst du?	Ich komme aus ...
Kommen Sie aus ...?	Ja. / Nein, ich komme aus ...
Wo wohnen Sie? / Wo wohnst du?	Ich wohne in ...
Lernen Sie / Lernst du Deutsch?	Ja. / Nein, ich lerne ...
Singen Sie / Singst du gern?	Ja, ich singe gern.
Wer singt gern?	Er singt / Sie singt / Sie singen gern.

jemanden begrüßen und verabschieden

7:30 Guten Morgen. **13:30** Guten Tag. **19:30** Guten Abend.

Hallo. • Grüß Gott. • Grüezi.
Auf Wiedersehen. • Gute Nacht. • Ade. • Tschüss. • Tschau.

Ich kenne ...

Länder und Sprachen

Türkei – Türkisch
Russland – Russisch

Österreich – Deutsch
Italien – Italienisch, Deutsch

Spanien – Spanisch, Katalanisch, ...
Marokko – Arabisch, Französisch, ...

Verben

ich	heiße	lache	singe	bin
du	heißt	lachst	singst	bist
er/sie	heißt	lacht	singt	ist

du und *Sie*

Wie geht es dir? / Wie heißt du?
Wie geht es Ihnen? / Wie heißen Sie?

das Alphabet

Aa • Bb • Cc • ...

die Zahlen bis 100

eins zwei drei ... elf zwölf dreizehn ...
einundzwanzig ... zweiundzwanzig ... neunundneunzig (ein)hundert

Was ist in dem Raum?

Kreuzen Sie an.

Vielleicht ein ...?

☐ ein Bett

☐ ein Spiegel

☐ ein Fernseher

☐ eine Pflanze

☐ ein Overheadprojektor

☐ ein DVD-Player

☐ ein Schrank

☐ ein Tisch

☐ ein Stuhl

☐ ein Kühlschrank

☐ eine Tafel

☐ ein Wörterbuch

☐ eine Uhr

☐ ein Beamer

☐ ein CD-Player

Im Deutschkurs

Was ist das?

1 Dinge im Kurs. Ordnen Sie zu.

ein CD-Player [6] und eine CD
ein Wörterbuch [ ] und ein Heft [ ]
eine Tasche [ ] und ein Handy [20]
eine Pflanze [ ] und ein Papierkorb [ ]
ein Overheadprojektor [ ] und ein Poster [1]
ein Tisch [ ] und ein Stuhl [ ]
eine Tafel [ ] und ein Schwamm [ ]
ein Bleistift [ ] und ein Radiergummi [ ]
ein Fernseher [ ] und ein DVD-Player [ ]
ein Fenster [ ] und eine Tür [ ]
ein Ball [ ] und ein Spiel [4]

2 Zeigen Sie und fragen Sie im Kurs.

Wie heißt das auf Deutsch?

Ich glaube, das heißt Bleistift.

Wie bitte? Kannst du das bitte buchstabieren?

Ja, klar: B-L-E-I-S-T-I-F-T.

3 Was passt? Ordnen Sie zu.

hören	schreiben	sehen	lesen
CD-Player			

18 achtzehn

▶ nach Gegenständen fragen ▶ im Kurs nachfragen ▶ Artikel: *ein, eine / kein, keine* und *der, das, die* ▶ Fragen und Antworten (Verbstellung) ▶ Personalpronomen ▶ das Verb *sein* ▶ Verben mit Vokalwechsel: *lesen, er liest* ▶ der Wortakzent

2

14

4 Hören Sie die Dialoge. Wie viele Personen sprechen?

☐ ein Mann und eine Frau

☐ zwei Frauen

☐ zwei Frauen und ein Mann

1.

◁ Sag mal, wie heißt das hier auf Deutsch? Ist das eine Tasche?

◀ Ja genau: eine Tasche.

◁ Und das hier? Was ist das? Ein Heft?

◀ Nein. Das ist ein Buch.

◁ Aha. Und wie schreibt man das?

◀ B-U-C-H.

◁ Danke.

2.

◁ Entschuldigung, ich habe eine Frage.

◆ Ja, bitte?

◁ Wie heißt das auf Deutsch?

◆ Das ist ein Fernseher.

◁ Wie bitte? Das verstehe ich nicht.

◆ Fernseher.

◁ Fern ... Können Sie das bitte an die Tafel schreiben?

◆ Ja, natürlich.

◀ Entschuldigung, ich kann das nicht lesen.

◆ Okay, ich buchstabiere und Sie schreiben.

◀ Gut, danke. Aber bitte sprechen Sie langsam.

14
15

5 Dialogarbeit: fünf Schritte

1. Hören und leise mitlesen
2. Hören und nachsprechen (hier: Track 15)
3. Hören und laut mitlesen
4. Zu zweit lesen
5. Alle Wörter in Rot variieren

Eine Frage. Entschuldigung, ich habe eine Frage.
Was ist das? Wie heißt ... auf Deutsch?
Bitte langsam. Bitte sprechen Sie langsam.
Das verstehe ich nicht.
Können Sie das bitte an die Tafel schreiben?
Wiederholen. Können Sie das bitte wiederholen?
Können Sie das bitte buchstabieren?

Schon fertig?
Schreiben Sie Mini-Dialoge. Der Kasten hilft Ihnen.

(K)ein oder (k)eine?

6 Ein Eis? Sehen Sie die Bilder an und lesen Sie.

ein Eis   das Eis von Maria   kein Eis

16

7 Hören Sie das Lied zweimal. Singen Sie mit.

> Sag mal, ist das hier ein Heft? Nein, das ist kein Heft.
> Oh, ist das hier vielleicht ein Buch? Nein, das ist kein Buch.
> Ist das hier ein Stift? Nein, das ist kein Stift.
> Ist das eine Tür? Nein, nein: keine Tür.
> Sag mal, ist das hier ein Schwamm? Ja, das ist ein Schwamm.

8 Markieren Sie im Text von Aufgabe 7 den unbestimmten Artikel.

9 Ergänzen Sie die Tabelle.

unbestimmter Artikel		Verneinung	
_____	Stift	kein	Stift
ein	Buch	_____	Buch
_____	Tür	_____	Tür

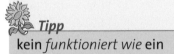

Tipp
kein *funktioniert wie* ein

10 Malen und raten Sie.

Kein Bett.

Ein Bett?

Ein Tisch?

Der, das oder die?

11 Heißt es *der*, *das* oder *die* Bleistift? Lesen Sie.

Ganz einfach. Es heißt: der Bleistift.

12 Schreiben Sie die Wörter aus Aufgabe 1 in eine Tabelle.

 der   das ✕   die ✿

der CD-Player   _____   _____

✔ **Schon fertig?**
1. Finden Sie fünf andere Wörter zu *der*, *das* oder *die*.
2. Suchen Sie die Artikel zu 10 Nomen auf Seite 7.

13 Wer weiß es? *Der-das-die*-Gymnastik.

Tisch!

die   der   das

14 Wortakzent.
a) Was ist betont? Hören Sie die Wörter und markieren Sie.

die CD • das Wörterbuch • die Tasche • der Papierkorb

die Pflanze • das Poster • die Tafel • der Bleistift

der Radiergummi • der Fernseher • das Fenster

b) Silbe 1 oder 2? Ordnen Sie die Wörter in eine Tabelle.

1. Silbe	2. Silbe
Wörterbuch	CD

 18

Sehen Sie auch in die Wörterliste ab Seite 140.

der *Regen*

✕

das *Kreuz*

die *Blume*

Tipp
Nomen lernen
*1. Immer zwei oder drei
Wörter zusammenlernen.
2. Nomen immer mit Artikel
und Pluralform lernen.
3. Alle Räume zum Lernen
nutzen.*

CH CD

Ja, was machen wir?

15 Wer sagt was? Ordnen Sie zu.

A   B   C   D

☐ „Ich höre Musik."   ☐ „Ich spreche Deutsch."
☐ „Ich lese viel."   ☐ „Ich weiß alles."

16 Lesen Sie die E-Mail. Markieren Sie die Verben.

> *Hallo, Sabine,*
> *du fragst:*
> *>>Wie viele Teilnehmer seid ihr im Kurs?*
> *Wir sind 25 Teilnehmer und Teilnehmerinnen.*
> *>>Und: Was macht ihr im Deutschkurs?*
> *Ja, was machen wir? Viel! Wir lesen Dialoge. Wir hören Musik und*
> *singen – auf Deutsch. Ich verstehe nicht alles. Das ist klar. Aber die*
> *Lehrerin spricht langsam. Oder sie wiederholt ein Wort.*
> *Meine Kursnachbarinnen wissen und verstehen alles! Sie sprechen*
> *sehr gut. Ich nicht. Aber du weißt: Ich schreibe und lese gern.*
> *Tschüss, Pavel*

das Verb *sein*

ich	bin
du	bist
er/sie/es	ist
wir	sind
ihr	seid
sie/Sie	sind

17 Ergänzen Sie die Tabelle.

	sprechen	lesen	wissen
ich	sprech-e	_____	weiß
du	sprich-st	lies-t	_____
er/sie/es	_____	lies-t	weiß
wir	_____	_____	wiss-en
ihr	sprech-t	les-t	wiss-t
sie/Sie	sprech-en	les-en	_____

e ▶ ie
lesen   *du liest*
            er/sie/es liest
e ▶ i
sprechen   *du sprichst*
            er/sie/es spricht
i ▶ ei; ss ▶ ß
wissen   *er/sie/es weiß*

Schon fertig?
Konjugieren Sie drei Verben.

18 Was macht Ihr im Kurs? Fragen und antworten Sie.

Wir schreiben.   *Aha, ihr schreibt. Und was noch?*   *Wir lesen.*   *Aha, ihr lest. Und was noch?*

Sind Sie ...? Ja, ich bin ...

19 Viele Fragen, viele Antworten.
a) Hören Sie den Dialog und lesen Sie leise mit.

‹ Wer sind Sie?   ▮ Ich bin ...
‹ Ach: Sind Sie Maria?   ▮ Ja.
‹ Was machen Sie hier?   ▮ Ich ...
‹ Lernen Sie Deutsch?   ▮ Ja.
‹ Woher kommen Sie?   ▮ Also, ich ...
‹ Kommen Sie aus Griechenland?   ▮ Ja. Kann ich auch etwas sagen?
‹ Ja, natürlich.

b) Ergänzen Sie Marias Antworten.

20 W-Frage – Ja-/Nein-Frage und Aussagesatz
a) Ergänzen Sie die Sätze aus Aufgabe 19.

W-Frage	Ja-/Nein-Frage	Aussagesatz
Wer _____?	Sind _____?	Ich bin _____.
Was _____?	Lernen _____?	Ich _____.
Woher _____?	_____?	_____.

b) Markieren Sie die Verben. Wo steht das Verb? Vergleichen Sie.

Aussagesatz	Ich	lerne	Deutsch.	
W-Frage	Was	machst	du?	
Ja-/Nein-Frage		Lernst	du	Deutsch?

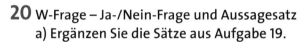

Schon fertig?
Antworten Sie auf die Ja-/Nein-Fragen aus Aufgabe 20.

Nein. Ich bin ...

21 Spielen Sie die Dialoge. Und noch einmal – aber mit *Sie*.

Was machst du?

Liest du noch lange?

Ich lese.

Ja!!!

kochen • lernen
singen • rauchen
schreiben • fotografieren
schwimmen • malen

Alle zusammen

22 Das Wörterspiel.

a) Zeichnen Sie einen Gegenstand
aus dem Kursraum.

b) Ergänzen Sie die Artikel.

c) Was passt? Ergänzen Sie ein 2. Wort.

d) Fragen und antworten Sie.

e) Machen Sie eine Wörterleine.

23 Zweimal Kofferpacken.

Variante 1

In meiner Tasche ist ein Stift.

In meiner Tasche ist ein Stift und ein Handy.

In meiner Tasche ist ein Stift, ein Handy und ein Buch.

Variante 2

In meiner Tasche ist kein Stift.

In meiner Tasche ist kein Stift und kein Handy.

Namen in Zahlen

PAVEL = 7 2 8 3 5. Und Ihr Name?

Ihr Handy kann Deutsch.
Stellen Sie alle Deutsch als Sprache ein.
Wählen Sie jetzt den Modus T9.
Schreiben Sie eine SMS:
Bitte keine Handys im Unterricht!

a) Wie viele Tasten müssen Sie drücken?
b) Stoppen Sie die Zeit.

Echt wahr

Michelle Poirrier kommt aus Paris.
Sie sagt: „In Französisch heißt es *la lune*
und *le soleil* – also *die Mond* und *der Sonne.*
Im Deutschen heißt es: *der Mond* und
die Sonne. Und es heißt *der Mann* und
die Frau, aber *das Mädchen.* Puh, Artikel –
das ist wie Lotterie."

Wissenswertes

Wie viele Handys gibt es in Deutschland,
Österreich und der Schweiz?

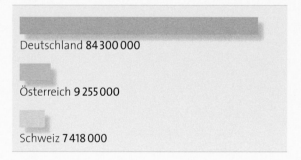

Deutschland 84 300 000

Österreich 9 255 000

Schweiz 7 418 000

Das sind 100 973 000 Handys bei
98 147 000 Einwohnern!

Wie viele Minuten sehen Österreicher,
Schweizer und Deutsche pro Tag fern?

Die Österreicher sehen pro Tag 157 Minuten
fern, die Schweizer 158 Minuten.
Jeder Deutsche sitzt
täglich 208 Minuten
vor dem Fernseher.
30 % der Männer
in Deutschland
schlafen vor dem
Fernseher ein.

Ich kann ...

im Kurs nachfragen

Entschuldigung, ich habe eine Frage.
Wie heißt das auf Deutsch?
Bitte langsam.
Das verstehe ich nicht.
Können Sie das bitte an die Tafel schreiben?
Können Sie das bitte wiederholen?

nach Gegenständen fragen   und antworten

Was ist das?   Das ist eine Tafel / ein Schwamm /
                                         ein CD-Player / ein Heft.

Ich kenne ...

Artikel

bestimmter Artikel
der Bleistift   **das** Wörterbuch   **die** Tasche

unbestimmter Artikel
ein Bleistift   **ein** Wörterbuch   **ein**e Tasche

Verneinung
kein Bleistift   **kein** Wörterbuch   **kein**e Tasche

Aussagesatz – W-Frage – Ja-/Nein-Frage

Aussagesatz	Ich	lerne	Deutsch.	
W-Frage	Was	machst	du?	
Ja-/Nein-Frage		Lernst	du	Deutsch?

Personalpronomen und Verben

	verstehen	*wissen*	*lesen*	*sein*
ich	verstehe	weiß	lese	bin
du	verstehst	weißt	liest	bist
er/sie/es	versteht	weiß	liest	ist
wir	verstehen	wissen	lesen	sind
ihr	versteht	wisst	lest	seid
sie/Sie	verstehen	wissen	lesen	sind

Wortakzent

der Papierkorb • das Fenster • die Tür • der Fernseher

Was wissen Sie von diesem Mann?

Kreuzen Sie an.

☐ Er ist Deutscher.	☐ Er wohnt in Leipzig.
☐ Er war in Madrid.	☐ Er liest gern.
☐ Er trinkt viel Kaffee.	☐ Er fährt Bahn.
☐ Er ist 38 Jahre alt.	☐ Er raucht.
☐ Er studiert.	☐ Er hat ein Haustier.
☐ Er hat zwei Kinder.	☐ Er reist gern.
☐ Er kocht gern.	☐ Er macht Sport.
☐ Er hat ein Handy.	☐ Er ist verheiratet.
☐ Er mag Filme.	☐ Er fährt Boot.

Zur nächsten Stunde: Bringen Sie ein Dokument mit!

Das bin ich

Was steht im Pass?

1 Bilden Sie eine Reihe im Kurs.
Wie groß sind Sie? Ordnen Sie die Reihe nach der Größe.
Wie alt sind Sie? Ordnen Sie die Reihe nach dem Alter.
Wie ist Ihr Vorname? Ordnen Sie die Reihe alphabetisch.
Wie ist Ihr Nachname? Ordnen Sie die Reihe alphabetisch.

2 Was steht im Pass? Kreuzen Sie an.
Vergleichen Sie dann mit Ihrem Pass.

- [ ] Vorname(n) und Name
- [ ] Geschlecht (Mann oder Frau)
- [ ] Haarfarbe
- [ ] Wohnort
- [ ] Kinder
- [ ] Geburtstag und Geburtsort
- [ ] Größe (___ cm)
- [ ] Familienstand (verheiratet?/ledig?/geschieden?)
- [ ] Staatsangehörigkeit
- [ ] Augenfarbe
- [ ] Adresse (Straße, Hausnummer, Postleitzahl, Ort)

3 Wählen Sie zwei Fragen aus und beantworten Sie sie.

Ich bin in Kiew geboren.

Ja, ich habe eine Tochter und einen Sohn.

Ja, ich habe zwei Töchter und drei Söhne.

Neunzehnhundertdreiundsechzig.

Ich bin ein Meter 80 groß.

Wo sind Sie geboren?

Haben Sie Kinder?

Wann sind Sie geboren?

Wie groß sind Sie?

— persönliche Angaben machen — Verben mit Akkusativergänzung: *haben* und
brauchen — *war*: Präteritum von sein — Adjektive (prädikativ): *Ich bin groß.*
— Verneinung mit *nicht* — lange und kurze Vokale

3

4 Richtig oder falsch? Hören Sie den Dialog.

	richtig	falsch
1. Das ist eine Quiz-Show im Fernsehen.	☐	☐
2. Herr Bauer ist verheiratet.	☐	☐
3. Herr Bauer ist Deutschlehrer.	☐	☐
4. Herr Bauer hat keine Kinder.	☐	☐

5 Herr Bauer. Hören Sie noch einmal.
Sammeln Sie Informationen.

Alter	wohnt in	ist geboren in	hat ... Kinder

 Schon fertig?
1. Sie sind Herr Bauer. Schreiben Sie drei Sätze.
2. Schreiben Sie ein Porträt von Herrn Bauer.

1. *Ich bin .... Ich wohne in ...*   2. *Herr Bauer ist ... / Er hat ...*

6 Arbeiten Sie mit dem Dialog.

‹ Wie alt bist du?
▎ Ich bin 45 Jahre alt.
‹ Bist du verheiratet?
▎ Nein, ich bin nicht verheiratet. Ich bin geschieden.
‹ Hast du Kinder?
▎ Ja, ich habe eine Tochter und
  einen Sohn.
‹ Hast du ein Auto?
▎ Nein.
‹ Hast du einen Führerschein?
▎ Ja. Wie viele Fragen hast du
  noch?

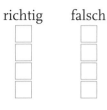

7 Und Ihr Nachbar/Ihre Nachbarin? Machen Sie ein Interview
und ergänzen Sie den Steckbrief.

Name? _____   Kinder? _____

Alter? _____   Geburtsort? _____

Familienstand? _____   Wohnort? _____

Hast du ...?

8 Reisevorbereitungen. Hast du alles?
a) Lesen Sie die Sätze. Ordnen Sie die Bilder zu.

1. ‹ Hast du das Flugticket? ▌ Ja, hier ist das Flugticket. ☐
2. ‹ Hast du die Adresse? ▌ Ja, hier ist die Adresse. ☐
3. ‹ Hast du den Stadtplan? ▌ Ja, hier ist der Stadtplan. ☐
4. ‹ Hast du das Handy? ▌ Ja, hier ist das Handy. ☐
5. ‹ Hast du den Schlüssel? ▌ Oh, nein. ☐

b) Markieren Sie die Artikel.

9 Ergänzen Sie den bestimmten Artikel.

Nominativ	Akkusativ
Hier ist _____ Stadtplan.	Hast du _____ Stadtplan?
Hier ist _____ Ticket.	Hast du _____ Ticket?
Hier ist _____ Adresse.	Hast du _____ Adresse?

10 6 Dinge – wer hat was? Fragen und antworten Sie wie im Beispiel.

Der Spiegel?

*Ich sehe den Spiegel.
Die Frau hat den Spiegel.*

---

das Verb haben

ich	*habe*
du	*hast*
er/sie/es	*hat*
wir	*haben*
ihr	*habt*
sie/Sie	*haben*

der ▸ den

das Verb sehen
e ▸ ie

ich	*sehe*
du	*siehst*
er/sie/es	*sieht*
wir	*sehen*
ihr	*seht*
sie/Sie	*sehen*

11 Lesen Sie die Sätze. Markieren Sie die Artikel.

‹ Hat er einen Stadtplan?   ▌ Nein, er braucht keinen Stadtplan.
‹ Hat er ein Auto?   ▌ Nein, er braucht kein Auto.
‹ Hat er eine Kreditkarte?   ▌ Nein, er braucht keine Kreditkarte.
‹ Braucht er einen Freund?   ▌ Ja!

12 Haben Sie ...? Hören Sie die Fragen und antworten Sie.
22

> Haben Sie eine Kundenkarte?

> Eine Kundenkarte? Nein, ich brauche keine Kundenkarte.

13 Ergänzen Sie die Tabelle.

	unbestimmter Artikel (ein) im Akkusativ
der	Ich brauche _____ Führerschein.
das	Ich brauche _____ Auto.
die	Ich brauche _____ Kreditkarte.
	Verneinung (kein)
	Nein, ich brauche _____ Führerschein.
	Nein, ich brauche _____ Auto.
	Nein, ich brauche _____ Kreditkarte.

14 Sie reisen nach Wien. Was brauchen Sie? Schreiben Sie.

Ich brauche ein Hotel.
Ich brauche kein Auto.

 Schon fertig?
Ihr Kursraum. Blättern Sie auf Seite 17. Schreiben Sie Sätze. 17

Wir haben eine Tafel. Aber wir brauchen einen Beamer.
Wir ...

einen Führerschein (D, A) [1] · eine Visitenkarte · ein Handy · einen Personalausweis (D, A)[2] · eine BahnCard (D)[3] · eine Kreditkarte · einen Bibliotheksausweis · einen Hund

1 einen Fahrausweis (CH)
2 eine Identitätskarte (CH)
3 eine Vorteilscard (A), ein Halbtax (CH)

 Tipp
Aus **der** wird **einen** oder **den**, aber **das**, **die** und **eine** bleiben steh'n.

Ich bin (nicht) ...

15 Ich brauche einen Job.
a) Was passt? Lesen Sie die Texte und die Anzeigen. Ordnen Sie zu.

Tanja, 35 Jahre
Ich mag Menschen. Ich helfe gern. Ich bin zuverlässig. Ich habe ein Auto und einen Führerschein. Ich bügele und putze gern. Ich bin nicht so flexibel. Abends habe ich keine Zeit.

Alexander, 45 Jahre
Ich fahre gern Auto und Motorrad. Ich habe einen Führerschein, Klasse 3. Ich bin schnell. Ich repariere auch Autos. Ich bin nicht verheiratet. Ich arbeite gern am Wochenende.

Anna, 42 Jahre
Ich telefoniere gern und viel. Ich bin freundlich. Ich spreche Russisch und ein bisschen Deutsch. Und ich organisiere gern.

Deniz, 22 Jahre
Ich studiere und brauche etwas Geld. Ich fahre gern Fahrrad. Ich bin sportlich. Und ich bin immer pünktlich.

Fahrer/in für Messebau in Düsseldorf gesucht.
Voraussetzungen: Führerscheinklasse 3 B, handwerkliche Fähigkeiten und Flexibilität. Bezahlung auf 400-Euro-Basis möglich.
Tel.: 0211-415 56 90

1.

Call-Center sucht Mitarbeiter (m/w).
Für Türkisch oder Russisch. Ab sofort.

2.

Wir suchen eine Putzhilfe.
2 bis 3 x pro Woche, abends ab 18:30 Uhr für Frisörsalon.
Tel. 040/257 67 19

4.

Hilfe für Seniorin gesucht
3 x 3 Std. pro Woche. Sie brauchen ein Auto und einen Führerschein. Zuschriften bitte unter Chiffre 0358 32 94 57 20

3.

Zusteller/in für Zeitung gesucht.
Morgens zwischen 4:30 und 7 Uhr. Sie brauchen ein Fahrrad.

5.

b) Wie ist ...? Markieren Sie die Adjektive in den Texten und schreiben Sie Sätze.

Tanja ist zuverlässig. Sie ist ...

Ich bin freundlich.

Ich bin dick ≠ dünn.

16 1, 2 oder 3? Ordnen Sie.

Bist du müde?

Nein, nein, ich bin nicht müde.

- [ ] *nicht*
- [ ] Verb
- [ ] Adjektiv

Ich bin flexibel.

Ich bin groß ≠ klein.

17 Und Sie? Fragen und antworten Sie.

Bist du ...?

Ja. Ich bin ...

Nein. Ich bin nicht ...

Ich bin jung ≠ alt.

Ich war schon in ...

18 Ich, ich, ich.

a) Wer spricht hier? A oder B? Hören Sie den Text.

Ach, wissen Sie, ich reise viel. Ich kenne die Welt. Ich war in Brasilien und China. Ich war in Australien und in Neuseeland. Ich war in Marokko und in Südafrika, in Israel und im Iran. Ich habe überall Freunde.
Ich spreche acht Sprachen: Deutsch und Englisch sind meine Muttersprachen. Ich spreche sehr gut Spanisch, Französisch und Arabisch und natürlich Chinesisch, Russisch und Japanisch. Ich bin 45 Jahre alt. Ich bin schön, erfolgreich und intelligent. Ich bin super sportlich. Ich spiele Tennis und bin die Nummer 1 im Verein. Alles perfekt. Aber: Ich habe keine Frau. Ich verstehe das nicht. Sie?

A

B

b) Wo war der Mann schon? Schreiben Sie Sätze.

Er war in ...

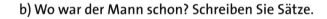

19 In welchen Städten und Ländern waren Sie schon?

a) Fragen Sie im Kurs.

Warst du schon mal in Wien?

Ja.

Nein.

Ich war schon in Italien. Und du?

b) Spielen Sie Echo. Schnell!

Ich war in Berlin.

Ach, du warst in Berlin?

Präteritum von sein	
ich	_____
du	_____
er/sie/es	_____
wir	waren
ihr	wart
sie/Sie	waren

20 Vokale hören und sprechen.

a) Lange Vokale. Hören Sie die Wörter und sprechen Sie nach.

viel • reisen • Iran • China • Spanisch • Französisch •
Deutsch • verstehen • Frau • gut

lang	a
kurz	a

b) Kurze Vokale. Hören Sie die Wörter und sprechen Sie nach.

Russland • Tennis • Nummer • alt • Welt • Marokko •
wissen • Afrika

Alle zusammen

21 Kurssprachen
a) Umfrage: Sprachen im Kurs.

b) Wie viele Sprachen sprechen oder verstehen Sie alle zusammen?

c) Ist eine Sprache allein in der Gruppe?

d) Sagen Sie Ihre Sprache in Ihrer Muttersprache.

Hablo español.

Das war Spanisch.

22 Mehrsprachigkeit im Kurs.
a) Schreiben Sie „Hallo!" und „Auf Wiedersehen!"
in Ihrer Sprache/Ihren Sprachen auf zwei Zettel.

¡Hola!

¡Hasta luego!

b) Hängen Sie die Zettel im Kursraum auf.
Begrüßen und verabschieden Sie sich in den Kurssprachen.

23 Was passt zu welcher Sprache?

Arbeit • E-Mails • Familie • Freunde • Kurs • Schule •
SMS • Sport • Telefon • Fernsehen • Zeitung

Meine Muttersprache	Deutsch	Englisch	...
Familie	Kurs	E-Mails	

E-Mails? – Englisch!

Small Talk

Was geht? Und was geht nicht? Kreuzen Sie an.

☺ ☹

1. ‹ Haben Sie Kinder?
   ‹ Nein. Ich habe keine Kinder.
2. ‹ Warum nicht?

☺ ☹

3. ‹ Warum machst du nicht mal
   eine Diät?

☺ ☹

4. ‹ Herr Meyer, wie geht es Ihnen?
   ‹ Danke. Gut. Und Ihnen?
5. ‹ Och, nicht so gut. Ich arbeite zu
   viel, aber ich habe kein Geld.
   Mein Sohn ist krank ...

☺ ☹

6. ‹ Hallo, Sie sind Frau Krüger,
   nicht wahr? Ich bin Arnold.
   ‹ Guten Tag, Herr ...?
7. ‹ Winkler. Sagen Sie, sind Sie
   verheiratet?
   ‹ Wie bitte?!?

Echt passiert

Ein Freund erzählt: „Hier in Deutschland
gibt es Türen, die automatisch aufgehen,
wenn du den Namen sagst." „Wow", denke
ich. Dann stehen wir vor einem Kaufhaus
in Köln und ich sage meinen Namen –
und ... die Tür geht wirklich auf. Alle
lachen. Ich auch.

Wissenswertes

**Wie viele Kinder hatte
der deutsche Komponist
Johann Sebastian Bach?**

Von zwei Frauen hatte
Bach zusammen 20 Kin-
der. Vier Söhne waren
auch Komponisten.

**Können Mama und Papa das Kind Babyface-
Ralph oder Rolex nennen?**

In vielen Ländern ist das kein Problem, in
Deutschland schon. Laut § 262 Satz 3 muss
der Name klar ein Name sein, keine Sache.
Und er muss die Person respektieren.
In Belgien heißt ein Junge Babyface-Ralph,
und den Namen Rolex gibt es auch – nicht
nur für Uhren.

Ich kann ...

Fragen zur Person stellen	antworten
Wie alt sind Sie? / Wie alt bist du?	Ich bin ... Jahre alt.
Sind Sie verheiratet? / Bist du geschieden?	Ich bin verheiratet/geschieden/ledig.
Haben Sie Kinder? / Hast du Kinder?	Nein. / Ja, ich habe drei Kinder/eine Tochter/ einen Sohn/zwei Töchter/zwei Söhne.
Bist du müde?	Ja, ich bin müde. / Nein, ich bin nicht müde.
Sind Sie ...?	Ich bin flexibel/freundlich/pünktlich ...

fragen, wo jemand (schon) war	antworten
Warst du/Waren Sie schon in ...?	Ich war schon in Brasilien.

Ich kenne ...

die Verben *haben* und *brauchen* mit Akkusativ

haben

ich	habe	wir	haben
du	hast	ihr	habt
er/sie/es	hat	sie/Sie	haben

Hast du den Schlüssel? / Hast du einen Führerschein? / Nein, ich brauche keinen Führerschein.

	bestimmter Artikel	unbestimmter Artikel	Verneinung
der	Ich habe den Schlüssel.	‹ Haben Sie einen Führerschein?	▎Ich brauche keinen Führerschein.
das	Ich habe das Ticket.	‹ Haben Sie ein Auto?	▎Ich brauche kein Auto.
die	Ich habe die Adresse.	‹ Haben Sie eine Kreditkarte?	▎Ich brauche keine Kreditkarte.

das Präteritum von *sein*

ich	war	wir	waren
du	warst	ihr	wart
er/sie/es	war	sie/Sie	waren

lange Vokale	**kurze Vokale**
viel • reisen • gut • verstehen	Russland • Welt • Stadt • wissen

Verneinung mit *nicht*

Verb – *nicht* – Adjektiv:	Ich bin nicht verheiratet.
	Ich bin nicht groß.
	Ich bin nicht flexibel.

Was gibt es auf einem Flohmarkt?

Was ist das? Nennen Sie die Gegenstände. Und was gibt es noch?

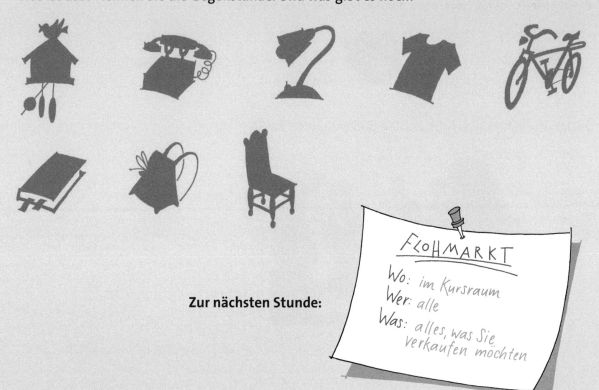

Zur nächsten Stunde:

FLOHMARKT
Wo: im Kursraum
Wer: alle
Was: alles, was Sie
verkaufen möchten

Auf dem Markt

die Kiwi

die Erdbeere

die Kartoffel

Das ist aber teuer!

der Knoblauch

die Aubergine (D, CH)[1]

die Vase

die Kette

die Melone

der Pullover

die Zwiebel

das Glas

1 Flohmarkt oder Obst- und Gemüsemarkt? Ordnen Sie zu und ergänzen Sie.

Obst	Gemüse	Flohmarkt

2 Was kauft Pavel? Hören Sie den Dialog. Kreuzen Sie an.

25

 ☐ einen Blitz

 ☐ einen Fotoapparat

 ☐ eine Fototasche

3 Flohmarkt im Unterricht. Kaufen und verkaufen Sie.

Wie viel kostet der Topf?

Zwei Euro.

Das ist aber billig.

Kann ich das mal sehen? Ja, natürlich.
Funktioniert ...? Ja, klar!
Wie viel kostet ...? Gibt es einen Rabatt?
Das kostet ... Euro.
Das ist aber teuer/billig/schön.
Ich nehme es.
Möchten Sie noch etwas? Nein, danke.

- sagen, was man gerne hätte - Preise erfragen, angeben und kommentieren
- um etwas bitten - die Pluralformen - Personalpronomen Singular im Akkusativ:
ihn, sie, es - Umlaute *ä, ö, ü*

4

die Zitrone

die Kirsche

die Tasche

die Tomate
(D, CH)²

das Kleid

die Zucchini (D, A)⁴

der Drucker

der Topf (D, A)³

der Salat

der Apfel

der Pilz

1 die Melanzani (A)
2 der Paradeiser (A)
3 die Pfanne (CH)
4 die Zucchetti (CH)

4 Auf dem Markt. Hören Sie den Dialog.

26
27

a) Was ist richtig? Kreuzen Sie an.

1. ☐ ein Kilo	☐ ein Stück	☐ eine Packung	Bananen
2. ☐ ein Stück	☐ eine halbe	☐ ein Pfund	Kirschen
3. ☐ vier	☐ 500 g	☐ Tüten	Zitronen
4. ☐ 4 Kilo	☐ eine Schale	☐ 7 Stück	Erdbeeren

◖ Kirschen – heute nur zwei Euro. Junge Frau, was hätten Sie denn
  gern?
◗ Wer? Ich?
◖ Ja, Sie. Kommen Sie. Hier haben wir eine Tüte. Und für nur
  zehn Euro bekommen Sie: ein Kilo Bananen, ein Pfund Kirschen,
  zwei, drei, vier Zitronen und eine Schale Erdbeeren.
  Na, wie finden Sie das?
◗ Gut.
◖ Noch mehr?
◗ Ja, gern.
◖ Okay: noch ein Stück Melone. Bitte schön.
◗ Vielen Dank.

die Tüte,
das Sackerl (A)
der Sack (CH)

die Schale

ein Kilo/ein Kilogramm (kg)
= 1000 Gramm (g)
500 g = 1 Pfund (D, CH)

b) Arbeiten Sie mit dem Dialog.

✓ **Schon fertig?**
1. Schreiben Sie: Was kommt in die Tüte? Wie teuer?
2. Spielen Sie selbst Marktschreier.

Auf dem Markt

Eins oder mehr?

5 Ein Marktstand.
a) Wie viele ... sehen Sie? Zählen Sie.

_____ Tomaten
_____ Salatköpfe
_____ Äpfel
_____ Kartoffeln
_____ Melonen
_____ Kiwis
_____ Verkäuferinnen

b) Wie heißt der Singular? Suchen Sie auf Seite 38 und 39. Notieren Sie die Paare. Vergleichen und markieren Sie.

| 38 | | 39 |

Beispiel: zwei Verkäuferinnen – eine Verkäuferin

c) Suchen Sie die Pluralform im Wörterbuch oder in der Wörterliste.

| 140 |

1. ein Pilz   _Pilze_   5. ein Topf   _____
2. eine Zucchini _____   6. eine Zwiebel _____
3. ein Glas _____   7. eine Kirsche _____
4. ein Verkäufer _____   8. ein Pullover _____

Kar|tof|fel, die;-, -n; Kartoffeln schälen, *aber* das Kartoffelschä-len;

Pfund, das, -e 4/4a
Pilz, der, -e 4/1
Pizza, die, -s/Pizzen 0/3

d) Der Plural. Antworten Sie schnell.

6 Ordnen Sie die Pluralformen aus Aufgabe 5 zu.

Tipp
Lernen Sie die Wörter immer mit dem Plural:
der Apfel – die Äpfel

7 Hören Sie und sprechen Sie nach.

28

der Ball – die Bälle
der Schwamm – die Schwämme
der Apfel – die Äpfel
das Wort – die Wörter

der Topf – die Töpfe
der Sohn – die Söhne
das Buch – die Bücher
der Stuhl – die Stühle

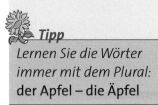

Der bestimmte Artikel: Hihihi! Im Plural heißt er immer die.

Ich nehme ihn!

8 Alles ganz billig?
29 a) Lesen und hören Sie.

‹ Ich brauche einen Topf.
❙ Hier, nur 1,50 Euro.
‹ Super. Ich nehme ihn!

‹ Ich brauche ein Fahrrad.
❙ Hier, nur 20 Euro.
‹ Gut. Ich nehme es!

‹ Ich brauche eine Tasche.
❙ Hier, nur fünf Euro.
‹ Toll. Ich nehme sie!

b) Und Sie? Fragen und antworten Sie.

das Wörterbuch • die Kette • der Fotoapparat • das Handy •
die Melone • der Computer • das Kleid

Nimmst du den Fotoapparat?

Ja, ich nehme ihn.   Nein, ich nehme ihn nicht.

c) Markieren Sie wie im Beispiel und ergänzen Sie das Pronomen.

Ich kaufe einen Apfel und esse _____ sofort.

Ich kaufe ein Buch und lese _____ sofort.

Ich kaufe eine CD und höre _____ sofort.

Pronomen im Akkusativ
einen/den ➤ ihn
ein/das ➤ es
eine/die ➤ sie

9 Wie lernen Sie Wörter? Was passiert?

Ich höre   Ich sehe   Ich rieche   Ich fühle
das Wort.   das Wort.   das Wort.   das Wort.

Riechst du
das Wort?

Ja, ich rieche es.

Nein, ich fühle es.

✔ **Schon fertig?**
Lesen Sie das Gedicht. Lesen Sie es laut und
mit Gesten. Variieren Sie mit *es* und *sie*.

Ich rieche ihn.
Ich höre ihn.
Ich sehe ihn.
Ich brauche ihn!

Zahlen bitte!

10 Brot in Zahlen.
a) Lesen Sie und ordnen Sie zu.

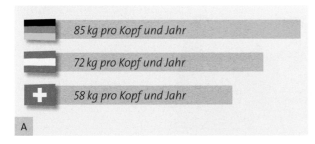

85 kg pro Kopf und Jahr

72 kg pro Kopf und Jahr

58 kg pro Kopf und Jahr

A

B

1. Die Großbäckerei Keim macht 14 Millionen Euro Umsatz im Jahr und hat 338 Mitarbeiter und Mitarbeiterinnen. Sie verarbeiten täglich sieben Tonnen Mehl (das sind 7000 Kilogramm) und produzieren über 30 Brotsorten. Das Brot kaufen die Kunden in 47 Geschäften.

2. Die Deutschen essen im Jahr über 7 Millionen Tonnen Brot. Die Schweizer essen 540 200 Tonnen und die Österreicher nur 478 500 Tonnen. Deutschland hat 82,4 Millionen Einwohner. Die Schweiz hat 7,5 Mio. und Österreich 8,3 Mio. Wer isst mehr Brot?

b) Lesen Sie die Texte noch einmal und ergänzen Sie die richtige Zahl.

1. So viele Menschen arbeiten bei Keim: _____

2. So viele Geschäfte hat Keim: _____

3. So viel Brot essen die Deutschen im Jahr: _____

4. So viele Menschen leben in der Schweiz: _____

tausend
1000
zehntausend
10 000
hunderttausend
100 000
1 Million / 1 Mio.
1 000 000
2 Millionen
2 000 000

11 Ich hätte gern ... Hören Sie. Was sind Schrippen?

30

◦ Was möchten Sie gern?
▪ Ich hätte gern Semmeln.
◦ Semmeln? Haben wir nicht.
▪ Aber da sind doch Semmeln.
◦ Das sind Schrippen.
▪ Aha .... also 222 Schrippen, bitte.
◦ Wie viele?
▪ 222 – wir machen eine Party.
◦ Das macht 22,22 Euro.
▪ Wie bitte?
◦ Das ist der Party-Preis!

das Brötchen,
heißt auch Schrippe,
Semmel, Wecken ...
Und wie sagen Sie?

12 Frühstück. Kaufen Sie ein.

◦ Was möchten Sie?   ▪ Ich hätte gern ...
◦ Was macht das?   ▪ ... Euro, bitte.

die Brezel • das Croissant •
die Laugenstange •
das Stück Kuchen

13 Haben Sie ...?

a) Was macht Maria?

b) Was braucht Maria? Lesen Sie den Text.

Tomatensalat

Maria Tsausidis kennen Sie ja schon. Sie kommt
aus Griechenland und wohnt in Bonn. Heute hat
sie Stress. Sie möchte eine Party machen. Sie
braucht noch Knoblauch für den Zaziki. Woher
bekommt sie ihn jetzt? Vielleicht hat Herr Mayer
Knoblauch. Er wohnt nebenan . Maria fragt ihn:
„Hallo, Herr Mayer, wie geht es Ihnen? Haben Sie
vielleicht etwas Knoblauch? Ich mache Zaziki.
Sie mögen doch Zaziki?"

„Ja, das ist lecker. Ich habe keinen Knoblauch, aber Zwiebeln.
Hier nehmen Sie."

„Ich brauche keine Zwiebeln, aber danke. Auf Wiedersehen."
Jetzt hat Maria Zwiebeln, aber keinen Knoblauch. Sie fragt Frau
Akkaya. Sie wohnt ganz unten .

„Guten Tag, Frau Akkaya. Kann ich vielleicht etwas Knoblauch
haben? Ich mache Zaziki."

„Nein, ich habe keinen Knoblauch, aber hier sind vier Tomaten. Bitte
schön."

„Ich brauche keine Tomaten, aber vielen Dank. Auf Wiedersehen."
Maria hat keinen Knoblauch, aber Zwiebeln und Tomaten. Sie denkt:
„Dann mache ich einen Tomatensalat. Auch lecker. Und ... billig!"

Zaziki

Knoblauchquark

14 Verstehen ohne Wörterbuch. Sehen Sie das Bild an.
Wie heißt das in Ihrer Sprache?

nebenan: _____   ganz unten: _____

15 Was ist höflicher? Hören Sie. Ordnen Sie.

A ☺ ☐   B ☺☺ ☐   C ☺ ☐

1. Haben Sie vielleicht etwas Knoblauch?
2. Haben Sie Knoblauch?
3. Entschuldigung, haben Sie etwas Knoblauch, bitte?

Raus mit der Sprache.
Sie brauchen Mehl für einen Kuchen.
Fragen Sie Ihren Nachbarn oder
spielen Sie im Kurs.

Auf dem Markt

Alle zusammen

16 Wir machen eine Salatparty.

a) Finden oder schreiben Sie ein Rezept für einen Salat.

b) Schreiben Sie eine Einkaufsliste für den Salat.
Wie viel brauchen Sie für die Kursgruppe?

3 Zwiebeln

> *Eine Sammlung finden Sie unter www.cornelsen.de/ ja-genau*

c) Planen Sie, wer was kauft. Schreiben Sie einen Dialog für den Einkauf.

Beispiel 1:
◖ Was kosten die Tomaten?
▮ Sie sind im Angebot: 1 Kilo: 1,50 Euro.
◖ Bitte ein halbes Kilo.
▮ Ist das alles?
◖ Ja, das ist alles.

Beispiel 2:
◖ Was kosten die da?
▮ Was, die? Das sind Paprika.
◖ Ja. Was kosten die Paprika?
▮ 2,99 das Kilo.
◖ Bitte drei Stück.
▮ Noch etwas?
◖ Ja, ich brauche noch …

 d) Üben Sie den Dialog mit Ihrem Partner/Ihrer Partnerin.

e) Gehen Sie zusammen auf den Markt. Kaufen Sie ein.

f) Machen Sie den Salat. Und dann: Guten Appetit!

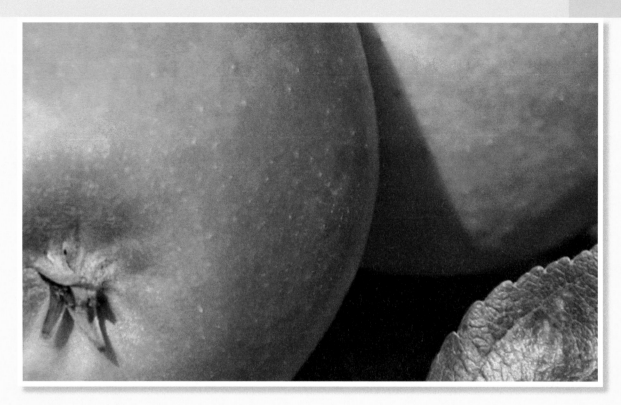

Wer bin ich?

Mein Name ist Malus Domestica. Die Menschen essen mich gern und ich bin sehr gesund.
Ich habe viel Vitamin C.
In Großbritannien sagen sie über mich: An ———— a day, keeps the doctor away.
Wer bin ich?

Ein Apfel

Wissenswertes

Woher kommen der Pfirsich, die Orange und die Kiwi?

Alle aus China. Die Chinesen kennen den Pfirsich seit 10 000 Jahren. Die Orange gibt es heute fast überall. Die Kiwi wächst vor allem in Neuseeland.

Das schönste deutsche Wort

32

Mein Lieblingswort ist **Rhabarbermarmelade**. *Wie das klingt! Das Wort ist toll und die Marmelade ist sooo lecker!*

Sammeln Sie Lieblingswörter rund ums „Essen".

Ich kann ...

einkaufen

Was möchten Sie, bitte?	Ich hätte gerne ... / Ich möchte ...
Ist das alles?	Ja, danke.
Noch etwas?	Nein, danke. / Ja, ich brauche noch ...

Was ist das? Kann ich das sehen?	Das ist ein/eine ...
Funktioniert ...?	Ja, er/sie/es funktioniert.
Wie viel kostet das?	Es kostet ... / Das macht ...
Das ist aber teuer/billig. Ist das im Angebot?	Ja, es kostet nur ...
Haben Sie ...?	Ja, wir haben ...

Mengen angeben

ein Kilo / ein halbes Kilo / ein Pfund Äpfel/Bananen/Tomaten/Kirschen/...
eine Tüte Obst / eine Schale Erdbeeren
ein Stück Kuchen
eine Tonne Mehl / sieben Tonnen Brot pro Jahr

Ich kenne ...

die hohen Zahlen

100	(ein)hundert	1000	(ein)tausend	100 000	(ein)hunderttausend
101	einhundertundeins	1100	eintausendeinhundert	180 000	einhundertachtzig-
102	einhundertundzwei	2000	zweitausend		tausend
110	einhundertundzehn	5000	fünftausend	1 000 000	eine Million
200	zweihundert	10 000	zehntausend	2 000 000	zwei Millionen

die Pluralformen

-(e)n:	die Zahl – die Zahlen, die Vase – die Vasen, die Kartoffel – die Kartoffeln
-e und ¨-e:	das Brot – die Brote, der Pilz – die Pilze, der Topf – die Töpfe
-er und ¨-er:	das Kind – die Kinder, das Glas – die Gläser, der Mann – die Männer
- und ¨-:	der Lehrer – die Lehrer, der Apfel – die Äpfel
-s:	die Kiwi – die Kiwis, die Zucchini – die Zucchinis, das Auto – die Autos

die Personalpronomen im Akkusativ (Singular)

Wo ist der Kuchen? Ich sehe ihn nicht.

Die Melone ist billig. Ich kaufe sie.

Wo ist Pavel? Ich höre ihn, aber ich sehe ihn nicht.

Das ist Maria. Ich kenne sie.

Hast du das Fahrrad? Ich brauche es heute.

die Umlaute

◁ Ich hätte gern ein Stück Kuchen.

▮ Bitte schön.

➤ Und wie geht es weiter?

Was ist Familie?

Familie heißt ...

Meine Familie ist ...

laut		Geborgenheit	nicht allein sein
	Kinder haben		lachen
Freiheit		keine Zeit haben	kochen
	essen und trinken		schön
schön		Ruhe	wichtig
	Wärme		viel Arbeit
sprechen		telefonieren	verheiratet sein
	zusammen wohnen		Spaß
		groß	klein

Zur nächsten Stunde: Bringen Sie ein Familienfoto mit.

Meine Familie und ich

Familie international

1 Lesen Sie die Texte. Ordnen Sie die Fotos zu.

1. ☐ Anna Rossi ist – wie ihre Schwester Laura und ihr Bruder Marco – in Deutschland geboren. Ihr Vater und ihre Mutter leben seit 1975 in Bochum. Sie kommen aus Italien, aus Pisa. Dort leben auch ihre Großeltern, ihre Tanten und Onkel, ihre Cousins und Cousinen. „Einmal im Jahr feiert meine Familie in Italien ein Fest."

2. ☐ Christoph Schneider lebt seit vier Jahren in der Schweiz. Er ist Maler. Er kommt aus Deutschland, aus Hamburg. Dort wohnt seine Mutter. Sein Vater ist leider schon tot. Seine Schwester arbeitet in Neuseeland, ihr Mann auch. „Ich sehe meine Familie selten, aber ich habe viele Freunde in der Schweiz."

3. ☐ Ewa Kaminska arbeitet seit zwei Jahren in Berlin. Ihre Eltern und ihre Geschwister leben in Krakau, in Polen. Aber eine Tante wohnt in Berlin; Ewa und sie kochen und essen oft zusammen. Ewa hat eine Schwester und einen Bruder. Sie besuchen Ewa oft. Dann sieht Ewa auch ihre Nichte. Aber ihre Eltern können nicht mehr reisen. „Ich vermisse sie."

4. ☐ Franck Ribéry ist Fußballspieler und spielt seit 2007 beim FC Bayern München. Er kommt aus Frankreich, seine Frau Wahiba kommt aus Algerien. Seine Tochter ist noch sehr klein. Sein Bruder François spielt auch Fußball – aber in Frankreich. „Meine Familie ist sehr wichtig für mich."

2 Was passt zusammen? Verbinden Sie.

1. Die Eltern von Anna Rossi
2. Christoph Schneider und seine Schwester
3. Ewa Kaminska und ihre Tante
4. Franck Ribéry und sein Bruder

A wohnen in Berlin.
B kommen aus Italien.
C spielen Fußball.
D haben keinen Vater mehr.

3 Wer spricht? Hören Sie.

Familien beschreiben — Fotos beschreiben — eine Entschuldigung schreiben
Possessivartikel: *mein / meinen, dein / deinen* ... — das Verb *mögen*
Modalverben: *müssen* und *können* — Aussprache: *ei*

5

4 a) Markieren Sie alle Familienwörter in den Texten von Aufgabe 1.

34

b) Ergänzen Sie. Kontrollieren Sie mit der CD.

1. der Vater	die _____	die Eltern
2. der Sohn	die _____	die Kinder
3. der Großvater	die Großmutter	die _____
4. der _____	die Schwester	die Geschwister
5. der Onkel	die _____	–
6. der Cousin	die Cousine	–
7. der Neffe	die _____	–

35

5 Familienfest im Restaurant. Wer spricht? Hören Sie.

▌ Familienfeste sind immer anstrengend.

◀ Was feiern sie? Geburtstag?

▌ Ja. Der Großvater ist das Geburtstagkind. Er wird 70 Jahre alt.

◀ Ist das links seine Schwester?

▌ Nein, das ist seine Frau. Rechts sitzen seine Tochter und ihr Mann.
Und da hinten ist sein Sohn.

◀ Aha.

▌ Das Geburtstagskind hat noch eine Schwester und drei Brüder.
Sie und ihre acht Kinder sind aber noch nicht da. Einige Neffen
und Nichten und Cousins und Cousinen auch noch nicht ...

◀ Die Kinder hier vorne sind süß. Das sind die Enkelkinder, oder?

♦ Entschuldigung, könnten wir bitte noch Kaffee bekommen?

▌ Natürlich, ich komme.

35
36

6 Arbeiten Sie mit dem Dialog.

7 Ihre Familie. Beschreiben Sie Ihr Foto.

47

Das bin ich. Das ist mein .../meine ...
Hier links / rechts ist mein .../meine ...
Oben links, das ist mein .../meine ...
Unten rechts ist mein .../meine ...
Hier hinten/vorne ist mein .../meine ...
In der Mitte sind ...

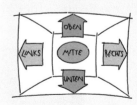

Schon fertig?
Ihr letztes Familienfest. Wer war da? Schreiben Sie eine Liste.

Mein Vater, meine ...

Mein und dein

8 Mein, dein, euer …
a) Markieren Sie in Aufgabe 5 und hier.

Das ist **meine** Tasche.

Das ist unser Haus.

Das ist eure Lehrerin.

Ist das Ihr Fahrrad?   Ist das sein Computer?   Sind das deine Schuhe?

b) Ergänzen Sie die Tabelle.

	der ▨	das ✕	die ✿
ich	——	mein	——
du	——	dein	deine
er/es	——	sein	
sie	—— Vater	ihr Kind	ihre Mutter
wir	unser	——	unsere
ihr	euer	euer	——
sie	ihr	ihr	ihre
Sie	Ihr		Ihre

49

der *Vater*
sein *Sohn* / seine *Tochter*
die *Mutter*
ihr *Sohn* / ihre *Tochter*

Possessivartikel
bei **der** und **das** ist er gleich:
mein *Vater*, mein *Kind*
bei **die** und im Plural auch:
meine *Schwester*,
meine *Eltern*

9 Ellis Zimmer. Fragen Sie. Antworten und zeigen Sie.

die Tasche • der Bleistift • das Handy • die Vase • das Kleid •
der Pullover • das Wörterbuch • die Brille • der Radiergummi

Wo ist ihr Kleid?

Hier ist ihr Kleid.

10 Hören Sie und fragen Sie zurück wie im Beispiel.
37

◁ Wie ist deine Telefonnummer? ▮ Wie bitte? Meine Telefonnummer?

11 Hören Sie und sprechen Sie nach.
38

 $ei = a + i$

12 Die liebe Familie. Lesen und hören Sie den Text. Markieren Sie die Possessivartikel.

> Ach, Sabine. Meine Familie nervt! Du weißt ja: Peter und ich fahren im August nach Österreich. Wir sehen dort viele Freunde und natürlich unsere Familien. Das Problem: Ich mag meinen Onkel Xaver und seine Frau, Tante Elisabeth, nicht. Sie sind schrecklich. Und ihre Kinder sind so laut! Nein, ich besuche meinen Onkel nicht! Jetzt ist meine Mutter sauer. Onkel Xaver ist ihr Bruder. Sie sagt, ich muss meinen Onkel und seine Familie besuchen. Und jetzt?

13 Familientour. Wen besuchen Sie?

Ich besuche meinen Vater.

Ich besuche meinen Vater und meine Mutter.

Ich besuche meinen Vater, meine Mutter und meine Schwester.

Bitte blättern | 20 | 31

Mein, dein, sein
funktioniert wie **ein** *und* **kein**.

---

14 Mögen Sie ...? Fragen Sie Ihren Nachbarn / Ihre Nachbarin.

Hans mag seinen Hund sehr.

Herr Kroll mag seine Nachbarin nicht.

Fahrrad · Stadt · Auto · Kursraum · Straße · ...

Mögen Sie Ihren Nachbarn? / Magst du deinen Nachbarn?

Ja, ich mag meinen Nachbarn sehr.

---

nicht mögen ☹
mögen ☺
sehr mögen ☺ ☺

---

das Verb mögen

ich	mag
du	magst
er/sie/es	mag
wir	mögen
ihr	mögt
sie/Sie	mögen

---

15 Elli muss immer suchen. Gehen Sie zu Aufgabe 9 auf Seite 50. Schreiben Sie Sätze wie im Beispiel.

Elli sucht ihren Pullover.

50

Schon fertig?
1. Was suchen Sie oft? Schreiben Sie Sätze.
2. Schreiben Sie die Sätze aus Aufgabe 15 mit *ich*, *du*, *er*, *wir* und *ihr*.

Ich kann ... und ich muss ...

16 Sascha ist krank.
40
a) Wer ist Sascha? Hören Sie.

b) Was ist richtig, was ist falsch? Lesen Sie und kreuzen Sie an.

	richtig	falsch
1. Frau Kaiser arbeitet in der Schule.	☐	☐
2. Sascha ist in der Klasse 5b.	☐	☐
3. Die Mutter muss keine Entschuldigung schreiben.	☐	☐
4. Sascha hat einen Bruder.	☐	☐
5. Frau Fischer muss unterschreiben.	☐	☐

‹ Sekretariat Albert-Einstein-Schule, Kaiser. Guten Tag?

▮ Hallo, hier spricht Anna Fischer. Mein Sohn Sascha ist krank und kann nicht zur Schule gehen.

‹ Sascha Fischer aus der 3c? Was hat er denn?

▮ Er hat eine Erkältung und er hat Fieber. Er muss heute und morgen im Bett bleiben.

‹ Dann müssen Sie eine Entschuldigung schreiben. Seine Schwester kann sie mitnehmen. Vergessen Sie nicht: Sie oder Ihr Mann müssen die Entschuldigung unterschreiben.

▮ Okay. Das mache ich. Danke. Auf Wiedersehen.

‹ Auf Wiedersehen, Frau Fischer. Und „Gute Besserung" für Sascha.

17 Eine Entschuldigung. Ergänzen Sie.

> Mannheim, 20. März 2010
>
> Liebe Frau Maierbeck,
>
> _____ Sohn Sascha ist _____. Er _____ heute nicht zur Schule
> _____. Bitte entschuldigen Sie sein Fehlen.
>
> Mit freundlichen Grüßen
> Anna Fischer

> Wer ist
> Frau Maierbeck?

18 Die Satzklammer. Wo steht das Verb im Infinitiv?

	Modalverb		Verb im Infinitiv
Ich	muss	eine Entschuldigung	schreiben.
Mein Sohn	kann	heute nicht zur Schule	gehen.

5

19 Mein Sohn ist krank. Was muss ich tun? Machen Sie eine Liste.

eine Entschuldigung schreiben • zum Arzt gehen • Medikamente
kaufen • Tee kochen • Fieber messen • Comics kaufen

Ich muss …

müssen	
ich	muss
du	musst
er/sie/es	muss
wir	müssen
ihr	müsst
sie/Sie	müssen

20 Ich bin krank. Ich kann nicht … Ergänzen Sie.

Arbeiten? Nein, ich kann heute nicht arbeiten.

1. Lernen? Nein, ich kann _____

2. Singen? Nein, _____

3. Tanzen? Nein, _____

4. Kochen? Nein, _____

5. Putzen? Nein, _____

können	
ich	kann
du	kannst
er/sie/es	kann
wir	können
ihr	könnt
sie/Sie	können

21 Stolze Eltern. Fragen und antworten Sie wie im Beispiel.

sprechen • allein trinken • laufen • allein essen •
„Mama" sagen • Fußball spielen • sitzen •
stehen • Fahrrad fahren • buchstabieren

*Kann Ihr Kind schon
laufen?*

*Ja, mein Kind kann schon
laufen.*

22 Heute ist frei! Ergänzen Sie *müssen* oder *können*.

Heute haben wir frei. Wir _____ nicht ins Büro und wir

_____ nicht arbeiten. Wir _____ im Bett bleiben.

Wir _____ lesen oder fernsehen. Wir _____

zusammen kochen.

Ich muss im Bett bleiben.

Ich kann im Bett bleiben.

Schon fertig?
1. „Nein …" Schreiben Sie Antworten zu den Fragen in Aufgabe 21.

Nein, unser Kind kann noch nicht …

2. Sie haben Urlaub. Schreiben Sie einen Text wie in Aufgabe 22.

Alle zusammen

23 Die Hochzeit. Ein Fest – zwei Familien.

der Vater: _Hans_
die Mutter: ...
die Schwester: ...
der Bruder: ...
die Tante: ...
der Onkel: ...

Julia, die Braut   Thomas, der Bräutigam

a) Schreiben Sie Rollenkarten.

Hans, der Vater von Julia

Ich mag —————————.

Ich mag ————— nicht.

Ich bin —————.

Horst, der Vater von Thomas

Ich mag —————————.

Ich mag ————— nicht.

Ich bin —————.

b) Ziehen Sie eine Rollenkarte und ergänzen Sie sie.

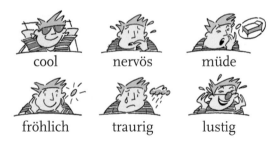

cool   nervös   müde

fröhlich   traurig   lustig

Horst, der Vater von Thomas

Ich mag _die Mutter von Julia_.

Ich mag _Julia_ nicht.

Ich bin _sehr nervös_.

c) Die Hochzeitsfeier beginnt. Stellen Sie sich vor.

Hallo, ich bin der Vater von Thomas.	Aha./ Freut mich./ Schön, Sie kennenzulernen.
Und das ist mein Mann/ meine Frau/mein ...	Ich bin ...

d) Machen Sie ein Familienfoto im Kurs. Wer steht wo? Beschreiben Sie.

Die Familie – das Kind.

aus: Ost trifft West von Yang Liu.
Verlag Hermann Schmidt, Mainz 2007

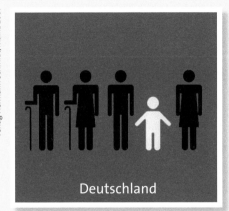

Deutschland

China

Wie ist es in Ihrem Land? Zeichnen Sie eine Skizze und vergleichen Sie im Kurs.
Umfrage: Was ist für Sie wichtig? Familie – Arbeit – Freunde – Hobbys

sehr, sehr wichtig: _____   wichtig: _____

sehr wichtig: _____   weniger wichtig: _____

Mein Leben – ein Gedicht

41

Schreiben Sie ein Gedicht wie im Beispiel.

Mein Mann,   Mein _____

unsere Kinder,   _____

unser Hund,   _____

meine Freunde,   _____

deine Arbeit: _____ :

Mein Leben.   Mein Leben.

Quiz

76 Länder der Welt. Wo ist Familie sehr wichtig? Platz 1: sehr wichtig. Platz 76: weniger wichtig.

1. Deutschland liegt auf
A ☐ Platz 5.
B ☐ Platz 30.
C ☐ Platz 75.

2. Österreich liegt auf
A ☐ Platz 10.
B ☐ Platz 45.
C ☐ Platz 68.

3. Die Schweiz liegt auf
A ☐ Platz 12.
B ☐ Platz 27.
C ☐ Platz 67.

4. Die Türkei liegt auf
A ☐ Platz 3.
B ☐ Platz 36.
C ☐ Platz 68.

5. Auf Platz 1 liegt
A ☐ Mexiko.
B ☐ Italien.
C ☐ Nigeria.

6. Auf Platz 76 liegt
A ☐ China.
B ☐ Litauen.
C ☐ Brasilien.

aus: http://ftp.iza.org/dp2750.pdf

Lösung: 1C; 2C; 3C; 4B; 5C; 6B

Ich kann ...

über meine Familie sprechen

Meine Mutter heißt ... / Mein Vater ist ... / Meine Schwester lebt in ... /
Ich besuche meine Familie oft/selten. / Ich mag meine Tante (nicht). Sie ist ...

die Schwester • der Bruder • die Tochter • der Sohn • der Onkel • die Tante •
die Großmutter • der Großvater • die Enkelin • der Enkel • der Cousin • die Cousine •
der Neffe • die Nichte ...

Bilder beschreiben

Hier links ist ... / Hier rechts ist ... / Da vorne ist/sind ... / Da hinten ist/sind ... /
Oben/Unten links, das ist ... / In der Mitte ist/sind ...

Ich kenne ...

Possessivartikel im Nominativ

der/das:
mein Vater, **dein** Haus, **sein** Computer, **ihr** Sohn, **unser** Vater, **euer** Haus, **ihr** Computer, **Ihr** Sohn

die:
meine Kette, **deine** Schwester, **seine** Tasche, **ihre** Mutter, **unsere** Uhr, **eure** Schwester,
ihre Großmutter, **Ihre** Frau

Plural (= die):
meine Kinder, **deine** Fahrräder, **seine** Autos, **ihre** Geschwister, **unsere** Söhne, **eure** Töchter,
ihre Großmütter, **Ihre** Eltern

Possessivartikel im Akkusativ

der	Hast du einen Onkel?	Magst du **meinen/unseren** Onkel?
das	Hast du ein Kind?	Kennst du **mein/unser** Kind?
die	Hast du eine Schwester?	Magst du **meine/unsere** Schwester?
Plural	Hast du keine Geschwister?	Kennst du **meine/unsere** Geschwister?

Modalverben *müssen* und *können*

	Modalverb		*Verb im Infinitiv*
Ich	muss	im Bett	bleiben.
Ich	kann	im Bett	bleiben.

	müssen	*können*
ich	muss	kann
du	musst	kannst
er/sie/es	muss	kann
wir	müssen	können
ihr	müsst	könnt
sie/Sie	müssen	können

die Aussprache von *ei*

Keine Arbeit. Frei! Allein!   Die Schweiz bleibt klein.

➤ Und wie geht es weiter?

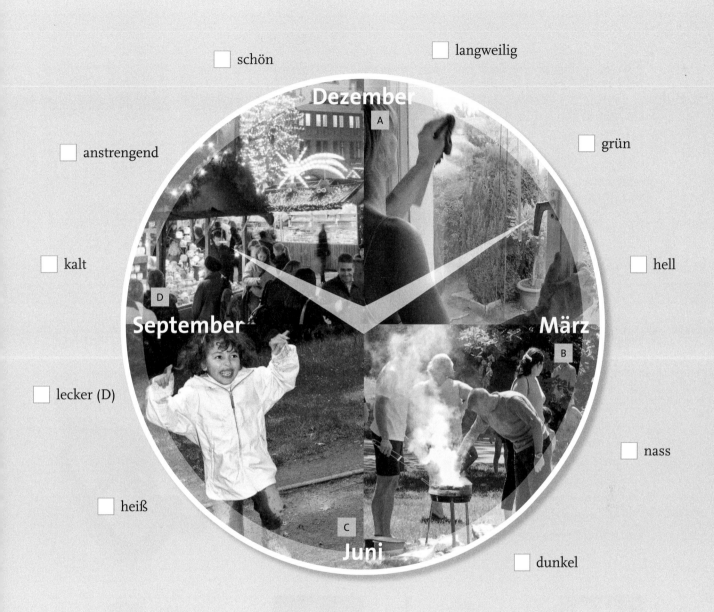

☐ schön ☐ langweilig

☐ anstrengend ☐ grün

☐ kalt ☐ hell

☐ lecker (D) ☐ nass

☐ heiß ☐ dunkel

Die Jahreszeiten: der Frühling, der Sommer, der Herbst und der Winter

Ordnen Sie die Bilder den Wörtern zu.

Für die nächste Stunde:
Jahreszeiten in Ihrem Land. Bringen Sie ein Foto oder einen Gegenstand mit.

Viel Zeit im Jahr

Die vier Jahreszeiten

1 Ein Jahr. Ergänzen Sie die Zahlen und lesen Sie laut.

Ein **Jahr** hat _____ Monate, _____ Wochen
oder _____ Tage. Ein **Monat** hat _____, _____
oder auch _____ Tage. Eine **Woche** hat _____ Tage.
Ein **Tag** hat _____ Stunden. Eine **Stunde** hat
_____ **Minuten**.

KALENDER

| Januar[1] | Februar | Juli | August |

| März | April | September | Oktober |

| Mai | Juni | November | Dezember |

42

2 Jahreszeiten hören. Hören Sie und ordnen Sie zu.

☐ Frühling ☐ Sommer ☐ Herbst ☐ Winter

3 Welche Aktivitäten kennen Sie? Ordnen Sie die Fotos zu und sagen Sie, wann Sie etwas machen.

1. Marmelade machen ☐
2. schwimmen gehen ☐
3. grillen (D, A)[2] ☐
4. Heuschnupfen haben ☐
5. Schlitten fahren ☐
6. eine Erkältung haben ☐
7. Plätzchen (D)[3] backen ☐
8. Kastanien sammeln ☐
9. Blumen pflanzen ☐
10. einen Schneemann bauen ☐

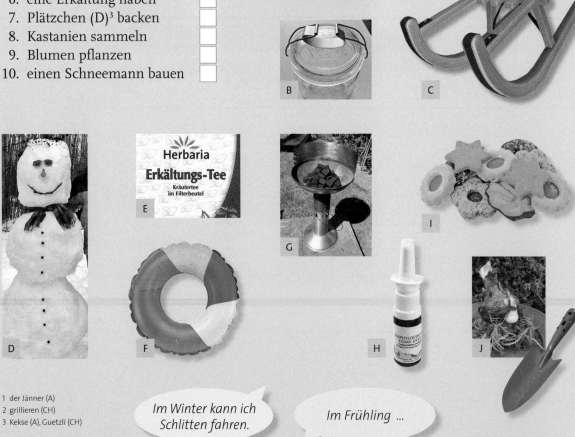

Im Winter kann ich Schlitten fahren.

Im Frühling ...

1 der Jänner (A)
2 grillieren (CH)
3 Kekse (A), Guetzli (CH)

achtundfünfzig

die Jahreszeiten und die Monate ▸ über das Wetter sprechen ▸
Wetterwörter mit *es* ▸ die Uhrzeit angeben ▸ Zeitangaben: *gestern, heute, morgen*
▸ das Perfekt ▸ Präpositionen: *im, um*

6

4 **So klingt ein Sommergewitter. Hören Sie und ordnen Sie die Bilder zu.**

43

1. Es regnet sehr stark und es blitzt und donnert. ☐
2. Es ist windig. ☐
3. Es regnet ein bisschen. ☐
4. Es regnet stark. ☐

A

B

C

D

Es ist windig.

Es ist sonnig.

Es ist bewölkt.

Es schneit.

5 **Maria telefoniert mit ihrer Freundin Ismi.**

44
45

a) Wie ist das Wetter in Leipzig? Hören Sie den Dialog.

b) Arbeiten Sie mit dem Dialog.

Ismi: Wie ist das Wetter in Bonn?
Maria: Heute scheint die Sonne und es ist sehr warm.
Ismi: Echt? Hier in Leipzig blitzt und donnert es.
Maria: Und regnet es auch?
Ismi: Ja – und wie! Und es ist kalt.
Maria: Na, hier ist das Wetter sehr schön!

Heute ist es kalt / warm / heiß / schwül. / Die Sonne scheint.
Es ist windig / sonnig / bewölkt.
Es regnet / schneit / blitzt / donnert / stürmt.
Das Wetter ist toll / sehr schön / gut / schrecklich.

So geht's:
Es ist ...
Ist es (auch) ...?

6 **Wie ist das Wetter in Ihrem Land? Sprechen Sie.**

57 *Zeigen Sie Ihre Fotos.*

In Brasilien ist das Wetter ganz anders. Es ist ...

Im Januar ist es ...

Wir haben keinen Winter.

Gestern hat es geregnet.

7 Wie ist das Wetter? a) Lesen Sie die Texte und antworten Sie.

1. Im Frühling bin ich nach Berlin gefahren. Ich habe viel gesehen. Aber es hat immer nur geregnet! Ich habe sofort einen Regenschirm gekauft und ich habe ihn sehr oft gebraucht.

2. Salzburg war wunderbar. Ich habe dort im Winter gearbeitet. Es hat viel geschneit, die Sonne hat gelacht und der Himmel war blau. Ich bin oft spazieren gegangen und ich habe viel fotografiert.

3. Gestern bin ich zu Hause geblieben und dann ist Besuch gekommen. Draußen hat es geblitzt und gedonnert. Ich habe Essen gemacht und plötzlich habe ich einen Knall gehört und der Fernseher hat geraucht. Jetzt ist er kaputt.

b) Markieren Sie alle Verben in den Texten wie im Beispiel.

c) Wie heißt der Infinitiv? Schreiben Sie.

bin gefahren – fahren, ... hat geregnet – regnen

d) Ordnen Sie die Wörter aus Aufgabe c) in die Tabelle.

haben + ge + ...t	haben + ge + ...en	haben + ...t	sein + ge + ...en
regnen – es hat geregnet			*fahren – ich bin gefahren*

e) So geht es. Ergänzen Sie die Regel für das Perfekt.

	haben/sein			Partizip
Ich	habe	gestern	Essen	gemacht.
Ich	bin	gestern	zu Hause	geblieben.

Regel: Das Perfekt bildet man mit einer Form von _____ oder

_____ und dem Partizip. Das _____ steht am Satzende.

8 Im Kurs. Fragen und antworten Sie.

lernen • kochen • arbeiten • Musik hören • lachen • regnen (es)

Hast du gestern gelernt?

Ja, gestern habe ich gelernt.

Nein, gestern habe ich nicht ...

22   30

9 Ein Wochenende in Berlin. Was erzählt Pavel?
Schreiben Sie einen Text.

1. nicht arbeiten (ich)
2. nach Berlin fahren (ich)
3. schneien (es)
4. viel spazieren gehen (ich)

5. viele Fotos machen (ich)
6. Freunde sehen (ich)
7. kochen zusammen (wir)
8. viel lachen (wir)

Das war ein Wochenende! Sehr schön! Ich habe nicht gearbeitet. Ich bin ...

10 Wie bitte? Partner/in 1 sagt Sätze aus Aufgabe 7 und
Partner/in 2 fragt nach wie im Beispiel.

Im Frühling bin ich nach Berlin gefahren.

Wie bitte? Du bist nach Berlin gefahren?

Ja, und ich habe ...

60

Schon fertig?
Schreiben Sie Text 3 in Aufgabe 7 um.

Frau Ferizi ist gestern zu Hause ...

60

11 Und wie ist das Wetter morgen? Sprechen Sie.

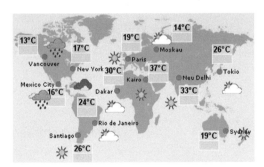

In Paris ist es morgen sonnig.

In Mexiko regnet es morgen.

In Dakar ist es heiß: 30 Grad.

Oder so:
Morgen ist es in Paris sonnig.
Morgen regnet es in Mexiko .

12 Das Wetter in D A CH. Wie ist das Wetter morgen in ...? Hören Sie
und kreuzen Sie an.

46

	sonnig	bewölkt	Regen	Schnee
1. Berlin	☐	☐	☐	☐
2. Frankfurt	☐	☐	☐	☐
3. Wien	☐	☐	☐	☐
4. Innsbruck	☐	☐	☐	☐
5. Zürich	☐	☐	☐	☐

Wie spät ist es?

13 Vor oder nach? Ergänzen Sie.

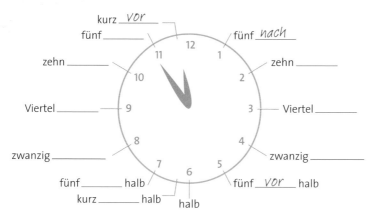

kurz *vor*
fünf _____
zehn _____
Viertel _____
zwanzig _____
fünf _____ halb
kurz _____ halb
halb
fünf *nach*
zehn _____
Viertel _____
zwanzig _____
fünf *vor* halb

14 Sie sind die Uhr: „Stellen" Sie Uhrzeiten und üben Sie im Kurs.

15 Uhrzeiten offiziell. Verbinden Sie.

14:45	Viertel vor drei	zwanzig Uhr fünfzehn
16:30	halb fünf	null Uhr
20:15	Viertel nach acht	vierzehn Uhr fünfundvierzig
22:03	kurz nach zehn	sechzehn Uhr dreißig
00:00	zwölf Uhr	zweiundzwanzig Uhr drei

Uhrzeiten sprechen:
9:30 Uhr = neun Uhr dreißig

16 Uhrzeiten verstehen. Hören Sie und ordnen Sie zu.
47

19:45	12:18	17:00
Text *4*	Text ☐	Text ☐

20:00	19:30	15:00
Text ☐	Text ☐	Text ☐

nach der Uhrzeit fragen:

Entschuldigung, können Sie mir sagen, wie spät es ist?

17 Zwei Möglichkeiten. Schreiben Sie die Uhrzeiten.

	privat	offiziell
18:00	_sechs Uhr_	_achtzehn Uhr_
6:15		
18:27		
6:30		
18:45		

18 Sagen Sie es anders. Fragen und antworten Sie.

‹ Ist es schon halb zehn? ❙ Ja, es ist genau 9:30 Uhr.

9:30 · 11:30 · 14:30 · 17:30 · 21:30 · 23:30

19 Nachfragen und antworten.

48

a) Hören Sie und fragen Sie wie im Beispiel nach.

Es ist 19:25 Uhr.

Was, schon fünf vor halb acht?

49

b) Hören und antworten Sie wie im Beispiel.

Unser Zug kommt um 20:10 Uhr.

Okay, um zehn nach acht.

20 Wann...? Hören und schreiben Sie.

50

1. Wann war Frau Müller fertig? _____

2. Wann fährt der Zug? _____

3. Wann kocht Monika? _____

Uhrzeit mit um:
Wann?
Um zehn Uhr.

✔ **Schon fertig?**
1. Ordnen Sie den Dialog.

1. Gern. Es ist zehn nach elf. ☐ ☐ ☐ ☐ ☐
2. Ja bitte?
3. Entschuldigung?
4. Vielen Dank.
5. Können Sie mir sagen, wie spät es ist?

2. Schreiben Sie selbst einen Dialog.

Raus mit der Sprache.
Fragen Sie Personen auf der Straße: „Wie spät ist es?"

Alle zusammen

21 Gibt es in Ihrem Land Schnee? Wann? Wie viel?

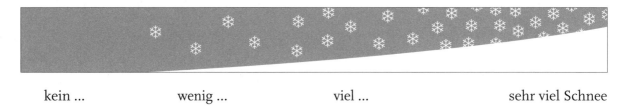

kein ...   wenig ...   viel ...   sehr viel Schnee

22 Was bedeutet Schnee für Sie? Machen Sie ein Wörternetz.

gefährlich

spielen

weiß

Zu Hause sein

schön

nass

23 Und die Sonne? Sammeln Sie Sätze.

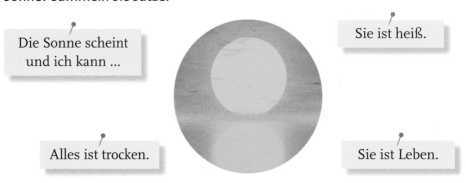

Die Sonne scheint und ich kann ...

Sie ist heiß.

Alles ist trocken.

Sie ist Leben.

24 Elf Wörter – ein Gedicht.
a) Schreiben Sie Gedichte wie im Beispiel.

(1 Wort):	Titel	Winter	Sommer
(2 Wörter):	Was?	Der Schnee	_____
(3 Wörter):	Wie?	Weiß und schön	_____
(4 Wörter):	Aktion	Ich gehe jetzt spazieren.	_____
(1 Wort):	Fazit	Kalt!	_____

b) Eine Ausstellung. Machen Sie Wetter-Plakate. Benutzen Sie Ihre Wörternetze, Ihre Gedichte und Fotos.

Die Tix-Uhr. Wie spät ist es?*

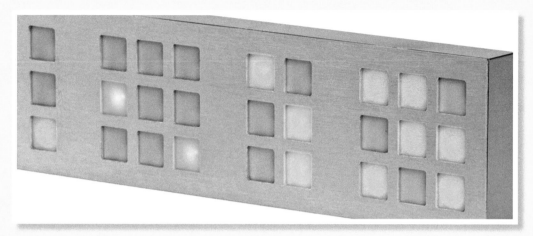

*Es ist 12:36 Uhr.

So funktioniert's

Das Prinzip ist ganz einfach.
Hier ein Beispiel:

12:44 Uhr   Feld 1: 1 Licht ist an.
                  Feld 2: 2 Lichter sind an.
                  Feld 3: 4 Lichter sind an.
                  Feld 4: 4 Lichter sind an.

Wie viele Lichter sehen Sie um
10:00 Uhr?

1 Licht

Wissenswertes

Wie weit ist ein Gewitter entfernt?

Wir zählen die Sekunden zwischen dem Blitz
und dem Donner und multiplizieren sie
mit 330. Bei zehn Sekunden ist das Gewitter
3300 Meter, also 3,3 Kilometer entfernt. Bei
drei Sekunden ist es gefährlich nah. Wie
nah?

990 Meter

Kennen Sie diese Sprichwörter auch in Ihrer Sprache?

Zeit ist Geld.

Kommt Zeit, kommt Rat.

Die Zeit heilt alle
Wunden.

Echt passiert

Brighet Mabasi aus Uganda: Im Winter
habe ich immer gedacht: „Was die Leute
hier alles auf ihren Autos transportieren.
So viele Tote, und sie fahren damit auf der
Autobahn spazieren? Merkwürdig."

Scherzfragen

1. Welcher Monat ist der kürzeste?

2. Warum kann es nie an zwei Tagen
   hintereinander regnen?

1. Der Mai (er hat nur drei Buchstaben).
2. Weil eine Nacht dazwischen ist.

Ich kann ...

die Jahreszeiten, die Monatsnamen

Ein Jahr hat 12 Monate/52 Wochen/365 Tage. Ein Monat hat 28, 30 oder 31 Tage.

der Frühling: März, April, Mai der Herbst: September, Oktober, November
der Sommer: Juni, Juli, August der Winter: Dezember, Januar, Februar

Alle Monatsnamen mit der: der Januar.

über das Wetter sprechen

Wie ist das Wetter?

Heute ist es windig / bewölkt / kalt / sonnig / warm / schwül / heiß.
Es regnet / schneit / stürmt. Es blitzt und donnert.
Die Sonne scheint.
Morgen regnet es. / Morgen scheint die Sonne.

sagen, was ich gemacht habe

Hast du gestern gekocht?
Was habt ihr gestern gemacht?

Ja, ich habe gekocht. / Gestern habe ich gekocht. / Wir haben gestern telefoniert. Gestern haben wir telefoniert.

die Uhrzeit angeben

Wie spät ist es? / Wie viel Uhr ist es?
Es ist 12:00 Uhr.
Es ist elf Uhr dreißig.
Es ist zwölf Uhr fünfzehn.
Es ist elf Uhr fünfundvierzig.
Es ist ein Uhr achtundfünfzig.
Es ist 16 Uhr drei.

Es ist zwölf. Genau zwölf Uhr.
Es ist halb zwölf
Es ist Viertel nach zwölf.
Es ist Viertel vor zwölf.
Es ist kurz vor zwei.
Es ist kurz nach vier.

Ich kenne ...

das Perfekt

Ich	habe	gestern		gearbeitet.
Wir	sind	gestern	spazieren	gegangen.
Wir	haben	gestern	viel	gesehen.
Wir	haben	gestern		telefoniert.

Zeitangaben

Gestern hat es geregnet. Heute scheint die Sonne. Morgen gehe ich schwimmen.
Im Winter schneit es.
Um drei kommt Klaus.

➤ Und wie geht es weiter?

Ordnen Sie die Fotos zu.

_____ am Morgen   _____ Arbeit   _____ Feierabend

Welches Bild finden Sie am schönsten?

Mein Tag

Was machen Sie morgen?
Ergänzen Sie das Kalenderblatt.

Tag:
Monat:

_____

_____

7:30 _____

_____

_____

_____

_____

_____

_____

Von früh bis spät

Guten Morgen!

A

frühstücken

B

Zähne putzen

1 Was passiert? Hören Sie und ordnen Sie die Fotos zu.

1. ☐ 2. ☐ 3. ☐ 4. ☐

2 Hören Sie und beantworten Sie die Fragen.

1. Wann steht Lukas auf? _____

2. Was frühstückt er? _____

3. Wann beginnt der Kindergarten? _____

4. Was macht er im Bad? _____

3 Was passt zu den Zeichnungen? Hören Sie die Dialoge. Sehen Sie die Zeichnungen an.
Markieren Sie in Dialog 1 und 2 die passenden Wörter.

A

B

C

1. ◦ Brauchst du noch lange?
   ▮ Ja, ich muss noch Zähne putzen, meine Haare kämmen ...
   ◦ Wie lange dauert das?
   ▮ Zwanzig Minuten.
   ◦ Zwanzig Minuten? Ich muss bald los. Und ich muss auch noch ins Bad. Beeil dich!

7

→ Tagesabläufe beschreiben → trennbare Verben im Präsens und im Perfekt
→ Ordnungszahlen → Zeitangaben: *zuerst*, *dann* und *danach*; *um* und *am*; *von ... bis*
→ Datum → das *h* im Anlaut

C

aufstehen

D

duschen

2. ‹ Hallo, Claudia. Wie war dein Tag?
   ❙ Wie immer. Ich bin um sechs aufgestanden.
   Von acht bis eins habe ich gearbeitet.
   Danach bin ich nach Hause gefahren.
   Ich habe gekocht, geputzt und die Wäsche
   gemacht. Am Nachmittag habe ich Lukas
   abgeholt und bin einkaufen gegangen.
   ‹ Und dann?
   ❙ Am Abend habe ich noch etwas ferngesehen
   und um zehn bin ich schlafen gegangen.
   ‹ Wie aufregend!

 4 Arbeiten Sie mit den Dialogen.

53
54

 5 Und Ihr Tag? Üben Sie zu zweit! Der Kasten hilft Ihnen.

> Wann stehen Sie morgens auf? Ich stehe um ... auf.
> Wann gehen Sie zur Schule/zur Arbeit? Ich gehe um ... zur Schule/
> zur Arbeit.
> Wie lange arbeiten Sie? Von ... bis ...
> Wann gehen Sie nach Hause? Um ... Uhr.
> Wann essen Sie? Ich esse um ....
> Morgens/Mittags/Abends esse ich um ....

 67

Mein Tag

6 Lesen Sie die Texte. Machen Sie Wörternetze für die Berufe.

Claudia Schmidt, **Kauffrau**
Ich arbeite halbtags. Ich fahre um acht Uhr ins Büro. Ich mache den Computer an und lese meine E-Mails. Dann rufe ich meine Kollegen in Singapur an. Danach habe ich oft einen Besprechungstermin. Um eins höre ich auf – Feierabend!

Irene Große, **Haushaltshilfe**
Um sieben fange ich an. Ich arbeite sechs Stunden für eine Familie als „Mädchen für alles". Ich wasche ab, bügle, kaufe ein, hole die Kinder ab und koche das Mittagessen. Um 14 Uhr bin ich fertig.

Ali Demirel, **Altenpfleger**
Um sechs Uhr bin ich im Altersheim. Viele Patienten stehen nicht mehr alleine auf. Ich wasche sie und ziehe sie an. Später haben wir Zeit für Spiele. Frau Becker mag „Mensch ärgere dich nicht" sehr.

7 Was macht Claudia Schmidt? Sprechen Sie.

* Abläufe beschreiben*
zuerst – dann – danach

Zuerst fährt sie ...

Dann macht sie ...

Danach liest sie ...

8 Trennbare Verben. Finden Sie die Verben in den Texten von Aufgabe 6. Markieren Sie.

anfangen • aufhören • anmachen • einkaufen • abholen • anziehen • abwaschen • anrufen • aufstehen

Trennbare Verben
Der Wortakzent ist immer auf der Vorsilbe:
ạnfangen, ạufhören, ạbholen ...

einkaufen:	Ich	kaufe		ein.
anfangen:	Ich	fange	um 7:00 Uhr	an.
abholen:	Ich	hole	die Kinder	ab.

9 Was macht Frau Große? Schreiben Sie.

Sie fängt ...

✓ **Schon fertig?**
Schreiben Sie eine Anzeige wie auf Seite 32 für eine Haushaltshilfe.

📖 32

10 Heute war alles anders.

a) Wer sagt das? Lesen Sie die Texte. Ergänzen Sie die Namen aus Aufgabe 6.

Heute bin ich erst abends zur Arbeit gegangen. Familie Gester hatte eine Party. Ich habe eingekauft und gekocht. Um zwei Uhr nachts war ich immer noch da und habe gearbeitet.

Heute war **der** Termin und ich bin erst um neun Uhr aufgewacht! Mein Chef hat angerufen und war sehr sauer. Ich bin dann gleich aufgestanden und zur Arbeit gefahren. Was für ein Stress!

A _____   B _____

b) Markieren Sie die Perfektformen in den Texten.

1. aufwachen: *Ich bin* _____

2. anrufen: *Er hat* _____

3. aufstehen: _____

4. einkaufen: _____

Präsens

[ein|kaufen]   Er   { kauft }   heute   { ein. }

Perfekt

Er   (hat)   gestern   (eingekauft.)

Trennbare Verben
Partizip
aufwachen – ich wache auf,
ich bin aufgewacht

Viele trennbare Verben sind
unregelmäßig. Lernen Sie:
anrufen – ich rufe an,
ich habe angerufen

aufstehen – ich stehe auf,
ich bin aufgestanden

Schon fertig?
Was war heute bei Frau Schmidt und bei Frau Große anders?
Vergleichen Sie die Texte in Aufgabe 6 und 10 und schreiben Sie.

Frau Schmidt:
1. Ich fahre um acht ins Büro.
2. Ich rufe meine Kollegen an.

Frau Große:
3. Um sieben fange ich an.
4. Um 14 Uhr bin ich fertig.

1. Sie ist erst ...

11 Der Tag Ihres Kursleiters. Erzählen Sie mit den Verben aus Aufgabe 6.

Heute ist er/sie um sieben aufgewacht.

Ja genau, und dann ist er/sie ins Bad gegangen.

Ja genau, und dann hat er/sie ...

Meine Woche mit Oma

12 Der Besuch

55

a) Wann hat Lukas Geburtstag? Hören Sie.

1. Am ersten August. ☐

2. Am zweiten August. ☐

3. Am dritten August. ☐

b) Lesen Sie und markieren Sie die Zahlwörter.

Samstag ist der erste August und meine Oma kommt. Ich bin sehr aufgeregt: Am zweiten August ist mein Geburtstag! Meine Oma bleibt eine Woche, vom ersten bis zum siebten August. Ich freue mich so. Wir können viel zusammen machen: in den Zoo gehen, das Eisenbahnmuseum besuchen, Eis essen und und und ...

13 Öffnungszeiten. Fragen und antworten Sie.

Ist	die Bibliothek der Zoo das Freibad das Eiscafé das Museum	im Juni, Juli, August ... am Montag, Dienstag ... um ... Uhr	geöffnet?

Datumsangaben
01.08.2010
der erste Achte 2010
Wann?
Am ersten August.

Ordnungszahlen:
Zahl + te
der erste, zweite, dritte,
vierte, fünfte, sechste,
siebte, achte, neunte,
zehnte, elfte, ...
ab 20: Zahl + ste
der zwanzigste, ...

Ja, das Freibad ist von ... bis ... geöffnet.

Nein, das Museum ist vom ... bis ... geschlossen.

Nein, der Zoo ist am Mittwoch geschlossen.

Achtung! Das Eisenbahnmuseum ist wegen Umbauarbeiten vom 31. Juli bis zum 20. August geschlossen.

Achtung!
In den Ferien
gesonderte
Öffnungszeiten:
Nur Montag,
Dienstag und
Donnerstag von
9:30–13:00 Uhr

Öffnungszeiten:
Montag – Freitag 10:00 – 18:00 Uhr
Samstag und Sonntag
9:00 – 17:00 Uhr
Mittwoch geschlossen

Freibad
Vom 1. Mai bis 30. September
täglich von 7:30 – 22:00 Uhr
geöffnet

Das beste Eis der Stadt immer in der Sommersaison vom 15. April bis 15. Oktober

14 Was können Lukas und seine Oma machen?
a) Ergänzen Sie den Kalender.

im Café frühstücken • Karten spielen •
schwimmen gehen • in die Bibliothek gehen •
zusammen kochen • spazieren gehen •
in den Zoo gehen • Eis essen

AUGUST
3 Montag

AUGUST
Donnerstag 6

4 Dienstag

Freitag 7

5 Mittwoch

Samstag 8

Sonntag 9

b) Fragen und antworten Sie.

so fragen Sie:	so antworten Sie:
Was machen sie am ...?	Am ... gehen sie spazieren./schwimmen./ in den Zoo./...
Was machen Sie um ...	Um ... kochen sie zusammen./spielen sie Karten./frühstücken sie im Café./...

c) Und was machen Sie von Montag bis Sonntag? Erzählen Sie.

Freunde treffen •
zum Sport gehen •
ins Café/ins Museum/
ins Theater gehen

15 Wer ist das?
a) Raten Sie.

> Morgens stehe ich um sieben Uhr auf. Mein Pfleger putzt mein „Zimmer". Um neun Uhr gibt es Frühstück. Von halb zehn bis zwölf bade ich und bekomme meine Fußpflege. Dann habe ich Freizeit bis nachmittags um fünf. Ich spiele, esse Äste (so wichtig wie Zähne putzen) und schlafe etwas. Um 16:30 Uhr gibt es end- lich Mittagessen: Heu, Gemüse und Obst. Ich bin sehr groß und dick und habe viel Hunger.

jeden Morgen: morgens
jeden Mittag: mittags
jeden Nachmittag: nachmittags
jeden Abend: abends
jede Nacht: nachts

b) Beschreiben Sie Ihren Tagesablauf.

 16 a) Welches Wort hören Sie? Markieren Sie.
56

1. heiß – Eis
2. aus – Haus
3. ihr – hier
4. Hessen – Essen

b) Sprechen Sie nach.

Üben Sie das h:

 c) Lesen Sie laut. Erst langsam und dann schnell.
57

Puh: Heute ist es heiß. Wo gibt es hier ein Eis?
Oh: Hast du einen Hund? Ich habe zwei! Na, und?
Ja, was macht ihr denn hier? Wir grillen – so wie ihr!

Hans und Helga Himmel heiraten heute.
Und hier ist ihr Hund.

Alle zusammen

17 Aktivitäten in meiner Stadt

a) Was interessiert Sie? Lesen Sie das Programm und markieren Sie.

Kino
Royal-Palast
Kino 1: Sa und So,
19:00 Harry Potter-Nacht
Kino 2: Fr, Sa und So,
20:00 Der Vorleser
Kino 3
20:30 James Bond
Theater
Opernhaus
Sa, 19:00 Don Giovanni
Wolfgang Amadeus Mozart
Stadttheater
So, 20:00
Varieté

Musik
Stadthalle
Fr, 21:00 The Band
Jazzkonzert

Tempodrom
Sa, 22:00 Peter K. Hip Hop
Sport
Halbmarathon
Start:
am So, 9:00
im Volkspark
**Fußball –
Bergstadion**
Sa, 14:00
1. FC Hasendorf – SV Blumbach

Ausstellungen
Stadtmuseum
geöffnet: Di–So 10:00–18:00
Die Brücke
Sonderausstellung bis 11.03.
Kinder
Großes Kinderfest
So, ab 14:00 Stadtpark
Spiele, Kindertheater, Hüpfburg
Kristall-Palast
jeden So, 11:00 Pippi Langstrumpf
Sonstiges
Flohmarkt am Rathausplatz
So, ab 11:00
Stadtbibliothek
Tag der offenen Tür
am Fr, von 9:00–16:00
Führungen zu jeder vollen Stunde
Bürgerbüro
offene Beratung für Migranten
und Migrantinnen
jeden Fr, 9:00–12:00

b) Bilden Sie Gruppen. Machen Sie eine Tabelle für einen Plan zum Wochenende.
Einer/eine in der Gruppe schreibt.

Freitag	Samstag	Sonntag

c) Diktieren Sie die Veranstaltungen.

Was machen wir am Freitag?

Es gibt ein Jazzkonzert.

Wann?

Um 20:00 Uhr.

Morgens können wir in die Stadt-bibliothek gehen

d) Präsentieren Sie Ihr Wochenende im Kurs.

Am Freitag um 20:00 Uhr gehen wir ins Konzert.

Beruf: Radiomoderator

Arbeiten Sie gerne nachts?

Frank Reimann ist seit 12 Jahren Radiomoderator, und seit vier Jahren arbeitet er nachts. Dann schläft er bis mittags und hat danach viel Zeit. Als Nachtarbeiter kann er am Tag einkaufen oder ins Café gehen. So um 18:30 Uhr geht Frank Reimann oft in seine Lieblingspizzeria. Dort trifft er Freunde. Gegen 21 Uhr fährt er ins Studio und arbeitet von Mitternacht bis vier Uhr morgens. Um 5:30 Uhr geht er wieder ins Bett.

Interkulturelles

Europäer und ihr Abendessen

Der Volkskunde-Professor Martin Kluge sagt: „Deutsche, Schweizer und Österreicher sind oft sehr früh beim Abendessen. Sie essen zwischen 18 und 19 Uhr.
Um ca. 19:30 Uhr kommen die Briten und Iren. Danach die Franzosen. Sie essen und essen und essen. Zum Schluss kommen die Südeuropäer – Italiener, Spanier und Griechen. Sie essen von ca. 21:30 bis 22:30 oder 23 Uhr. Es kann aber auch mal Mitternacht werden! Das liegt am Klima!"

Ist das wahr? Wann essen Sie?

Kulturtipps kostenlos

Was ist in Ihrer Stadt kostenlos?
Recherchieren und sammeln Sie.

In **Berlin** gehen Sie am besten am Donnerstagnachmittag ins Museum. Dann ist der Eintritt in vielen Häusern frei. Man kann auch gratis in die Glaskuppel vom Reichstag gehen.

In vielen Museen in **Wien** ist der Ausstellungsbesuch am Freitagvormittag und an Sonntagen kostenlos!

Zürich hat über 16 Badegelegenheiten. Dort ist der Eintritt oft kostenlos. Von Mai bis Oktober gibt es auch einen kostenlosen Velo*-Verleih von 8:00 bis 21:30 Uhr.

*(CH) für Fahrrad

> **Was mache ich mit Extra?**
> ▸ *Überschriften lesen, Bilder ansehen.*
> ▸ *Raten Sie: Was steht in den Texten?*
> ▸ *Schreiben Sie Fragen.*
> ▸ *Texte lesen und Fragen beantworten.*
> ▸ *Lieblingswörter sammeln.*

Ich kann ...

Tagesabläufe beschreiben

Wann stehen Sie jeden Morgen auf?	Ich stehe um ... auf.
Wann gehen Sie zum Deutschkurs?	Ich gehe um ... zur Schule/zur Arbeit/ nach Hause.
Wann essen Sie/isst du?	Ich esse um ...
Wann gehen Sie/gehst du ins Bett?	Ich gehe um ... Uhr ins Bett.

Zuerst gehe ich zur Arbeit. **Dann** kaufe ich ein und **danach** hole ich die Kinder ab.

die Zeit angeben

morgens/mittags/nachmittags/
abends/nachts
von 10:00 **bis** 11:00 Uhr
um 7:00 Uhr

das Datum angeben

12.08.2010: der zwölfte Achte 2010

- Wann hat dein Enkel Geburtstag?
- **Am** erst**en** Acht**en**.
- Geht ihr ins Museum?
- Nein, das Museum ist **vom** 20. Juli **bis zum** 30. August geschlossen.

Ich kenne ...

trennbare Verben

im Präsens

aufstehen:	Ich	stehe	um sieben Uhr	auf.
anmachen:	Ich	mache	den Computer	an.
anrufen:	Ich	rufe	Pavel	an.

im Perfekt
Ich **bin** um sieben Uhr auf**gestanden**. Dann bin ich zum Kurs gegangen.
Danach **habe** ich die Kinder ab**ge**holt und ein**ge**kauft.

die Ordnungszahlen

der erste	der sechste	der elfte
der zweite	der siebte	[...]
der dritte	der achte	der zwanzigste
der vierte	der neunte	[...]
der fünfte	der zehnte	der hundertste

das h im Anlaut

Heute ist es heiß.
Der Hund hat Hunger.
Hast du ein Haus?
Was macht ihr hier?

Mein Zimmer

Was stellen Sie in das Zimmer?

Einen Kühlschrank und einen Herd.

Ein Bett und einen Schrank.

Einen Schreibtisch und ein Regal.

Eine Pflanze und eine Vase.

Zur nächsten Stunde:
Bringen Sie eine Wohnungsanzeige mit.

Zu **1** Ergänzen Sie.

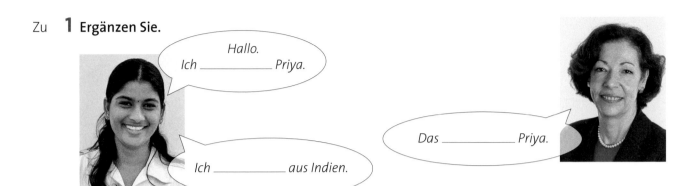

Hallo.
Ich _____ Priya.

Ich _____ aus Indien.

Das _____ Priya.

Zu **2** 1) Hören Sie und ergänzen Sie den Dialog.

02

‹ Guten _____. Wie _____ du?

▮ Ich _____ Alina.

‹ Schöner _____.

▮ Danke. Und _____ _____ du?

‹ _____ _____ Mehmed Paydas.

▮ Mehmed, woher _____ _____?

‹ Ich komme _____ _____ _____.

+ Neue Namen, neue Länder. Schreiben Sie einen Dialog wie in 1).

2) *Hallo* und *Tschüss*. Ordnen und schreiben Sie.

Gu • Auf • ten • ~~Hal~~ • Mor • A • Wie • Nacht • Grüe • gen • Gu • Gott • se
der • de • Grüß • ~~lo~~ • hen • zi • ~~Tschüss~~ • te

Kommen   Gehen

Hallo _____   _____   *Tschüss* _____   _____

_____   _____   _____   _____

3) Ein Tag kommt und geht. Ordnen Sie zu.

A Guten Abend   B Guten Tag   C Gute Nacht   D Guten Morgen

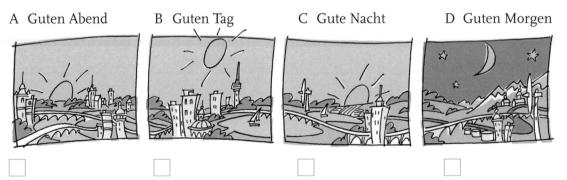

☐   ☐   ☐   ☐

Zu 3 Woher kommst du?

🔘 03

Hören Sie und sprechen Sie nach.

Zu 4 Betonung. Hören und ergänzen Sie die Satzzeichen: **.** oder **?**

🔘 04

1. Das ist Max ☐   2. Das ist Max ☐
3. Das ist äthiopisch ☐   4. Das ist äthiopisch ☐
5. Pavel fotografiert Maria ☐   6. Pavel fotografiert Maria ☐

Zu 5 ↗ oder ↘? Ergänzen Sie in Übung 4 die Pfeile.

Zu 7 **1)** Städte in D A CH.

🔘 05

Hören Sie und ergänzen Sie die Vokale (*a, e, i, o, u*).

1. B__sel   4. Fr__nkf__rt   7. Gr__z   Ⓓ Deutschland
2. W__en   5. B__rn   8. B__nn   Ⓐ Austria = Österreich
3. H__mb__rg   6. Leipz__g   9. Z__g   ⒸⒽ Confoederatio Helvetica = Schweiz

2) Lesen Sie die Städtenamen laut. Vergleichen Sie mit der CD.

🔘 06

3) Umlaute. Lesen und hören Sie. Sprechen Sie nach.

Köln · Göttingen · Zürich · München · Düsseldorf · Bärenbad · Karstädt

✚ Kennen Sie andere Städte mit Umlaut in D A CH? Schreiben Sie.

4) Groß (W) oder klein (w)? Korrigieren Sie die Sätze.

1. wie heißen sie?   4. ich komme aus der türkei.
2. ist das arabisch?   5. ich wohne auch in berlin.
3. ich bin aus russland.   6. woher kommen sie?

✚ Finden und schreiben Sie die 6 Sätze.

gutentagichheißemikeichkommeausaustralienhalloichheißeamiradasistarabischwohnstduauchinbonnneinichwohneinberlin

Guten Tag, ich

Zu **10** **1)** Schreiben Sie die Zahlen und lesen Sie laut.

85 _____

21 _____

17 _____

75 _____

62 _____

46 _____

89 _____

53 _____

07

2) Zahlendiktat. Hören Sie und verbinden Sie die Zahlen zu drei Figuren.

1	2	3	4	5	6	7	8	9	10
11	12	13	14	15	16	17	18	19	20
21	22	23	24	25	26	27	28	29	30
31	32	33	34	35	36	37	38	39	40
41	42	43	44	45	46	47	48	49	50
51	52	53	54	55	56	57	58	59	60
61	62	63	64	65	66	67	68	69	70
71	72	73	74	75	76	77	78	79	80
81	82	83	84	85	86	87	88	89	90
91	92	93	94	95	96	97	98	99	100

3) Rechnen und schreiben Sie. Lesen Sie laut.

1. $12 + 16 =$ _____   3. $11 + 12 =$ _____   5. $80 + 17 =$ _____

2. $34 + 55 =$ _____   4. $23 + 49 =$ _____   6. $15 + 61 =$ _____

1. *Zwölf plus sechzehn ist achtundzwanzig.*

Zu **12** Prüfungstraining: Kreuzen Sie an: a, b oder c? Sie hören den Text zweimal.

08

a) ☐ 276 34 59   **b)** ☐ 276 34 58   **c)** ☐ 273 64 58

Zu **14** *Du* oder *Sie*? Ordnen Sie zu.

1. _____ 2. _____ 3. _____

Zu **15** 1) **Und Sie? Lesen Sie die Fragen und schreiben Sie die Antworten.**

1. ‹ Heißt du Sebastian? ‹ *Nein, ich heiße* _____

2. ‹ Lernst du Deutsch? ‹ *Ja, ich* _____

3. ‹ Kommst du aus Italien? ‹ _____

4. ‹ Wohnst du in Berlin? ‹ _____

5. ‹ Verstehst du Spanisch? ‹ _____

2) **Schreiben Sie die Fragen aus 1) mit *Sie*.**

Heißen Sie Sebastian?

Zu **18** **Schreiben Sie Sätze mit *er* oder *sie* wie im Beispiel.**

1. Ich heiße Mehmed. Ich komme aus der Türkei. Ich wohne in München. Ich lerne Deutsch.
2. Ich heiße Tatjana. Ich komme aus Russland. Ich wohne in Wien. Ich singe gern.

Er heißt ...

Zu **20** **Verrückte Verben. Korrigieren Sie den Text.**

Hallo, ich *lerne* Maria. Ich *schwimme* aus Griechenland. Ich *heiße* in Bonn.
Ich *komme* Deutsch. Ich *wohne* gern.

_____

_____

_____

_____

_____

Zu **22** Wer macht was? Fragen und antworten Sie.

1.   2.   3.   4.

Wer lernt Chinesisch? Karim lernt Chinesisch.

Schreiben Sie Sätze.

Wie	*lernen*	aus Russland.
Ich	*heißen*	Deutsch.
Tamara	*kommen*	Ahmed.
Wer	*sein*	die Lehrerin.
Du	*singen*	gern.

Ich lerne Deutsch.

Zu **23** 1) **W-Fragen. Ergänzen Sie die Fragen.**

1. ‹ Woher _____ ?   ‹ Ich komme aus Ägypten.

2. ‹ Wo _____ ?   ‹ Ich wohne in Köln.

3. ‹ Wer _____ ?   ‹ Bela singt gern.

4. ‹ Wie _____ ?   ‹ Ich heiße Karim.

2) **Das bin ich. Schreiben Sie einen Text.**

Ich heiße ...

Name?
Land?
Wo wohnen Sie?
Was machen Sie gern?

Lernwortschatz: Wer bist du? Woher kommst du?

Wer bist du? Wer sind Sie?

der Name – der Vorname und der Nachname
die Person: Wie heißen die Personen?
Die Frau? Das ist Frau Mayer.
Der Herr? Das ist Herr Bond. James Bond.
sein: ich bin, du bist, er/sie ist
Kennst du Pavel?

Wo wohnst du? Wo wohnen Sie?

wohnen: Ich wohne in Bonn.
Wo? In Bonn. Kennen Sie Bonn?

Woher kommst du? Woher kommen Sie?

kommen (aus): Ich komme aus Russland.
    Und du?
Ich auch! Ich komme auch aus Russland.
Aber sie kommt aus der Türkei.

Hallo!

Guten Tag! Grüß Gott! (D-süd, A)
    Grüezi! (CH)
Guten Morgen! – Guten Abend!
Hallo! Servus! (A)
Tschüss! Tschau! Servus! (A)
Gute Nacht! Auf Wiedersehen! Ade! (CH)

Wie geht es dir? / Wie geht es Ihnen?

Danke, gut!
Gut. Danke. Und dir? / Und Ihnen?
Auch gut.

Wie bitte?

Ja oder nein?
Schon fertig?
Ja, das ist richtig!

Im Kurs

Deutsch lernen: Ich lerne hier Deutsch.
die Sprachschule, der Kurs
der Lehrer/die Lehrerin
hören, lesen und schreiben
fragen und antworten – die Frage
sagen: die Namen sagen
buchstabieren: der Buchstabe – das Wort
das Wort markieren
die Aufgabe auf Seite 14
der Text und der Dialog
die Tabelle

Was machst du gern? Was machen Sie gern?

Joggen oder schwimmen? – Sie joggt gern.
kochen: Ich koche gern.
sammeln: Wörter sammeln
singen und lachen
fotografieren
malen und raten
notieren: die Telefonnummer/die Zahl
    notieren
Rauchen? Nein. Das mag ich nicht.
Was magst du? Alles!
mögen: ich mag, du magst, er/sie mag

Verstehen Sie Deutsch oder Türkisch?

Ich verstehe Spanisch, Katalanisch und
    Italienisch.
Verstehst du auch Französisch?
Nein, aber Arabisch.
Russisch, Chinesisch, Griechisch, …

Wo wohnen Sie?
Ich wohne in Bonn.

Ihre Sprache:

¿Dónde vive usted?
Vivo en Bonn.

Vokabelheft

🌻 **Tipp**
Schreiben Sie die Wörter auf!

Zu **1** Was ist das? Ergänzen Sie.

1. _____

8. _____

ein Rucksack

7. _____

6. _____

2. _____

3. _____

4. _____

5. _____

Zu **2** 1) Welche Wörter hören Sie? Kreuzen Sie an.

09

☐ ein Fernseher ☐ ein Spiel ☐ eine Tafel ☐ ein Bleistift

☐ ein Fenster ☐ ein Schwamm ☐ eine Tasche ☐ ein Papierkorb

☐ ein Foto ☐ ein Stuhl ☐ ein Tisch ☐ ein Poster

☐ ein Handy ☐ ein Heft ☐ eine Tür ☐ ein Beamer

2) Können Sie die Wörter lesen? Schreiben Sie.

1. eine Tafel, ein Fenster, ein Handy und eine Tasche

_____ _____ _____ _____

2. ein Bleistift und ein Radiergummi

_____ _____

3. Ich glaube, das heißt Papierkorb.

_____

10

3) Wie schnell? Buchstabieren Sie die Nomen aus 2). Stoppen Sie die Zeit.

1. _____ Sekunden 2. _____ Sekunden 3. _____ Sekunden

Zu **3** Was passt nicht? Markieren Sie.

1. hören:	der CD-Player	das Fenster	das Handy	die Uhr
2. schreiben:	das Heft	die Tasche	die Tafel	der Bleistift
3. sehen:	die Musik	der Fernseher	das Poster	der Overheadprojektor
4. lesen:	das Telefonbuch	das Heft	das Wörterbuch	die Pflanze

Zu **4** Lesen Sie laut.

‹ Entschuldigung, ich habe eine Frage.

‹ Ja, bitte?

‹ Wie heißt das auf Deutsch?

‹ Das ist ein Beamer.

‹ Ich meine auf Deutsch, ich verstehe auch Deutsch.

‹ Ja, das heißt auf Deutsch Beamer, B-E-A-M-E-R. Das Wort ist englisch, aber der Beamer kommt aus Deutschland. Hier: Made in Germany.

Tipp
Üben Sie so:

Zu **5** Dialogpuzzle. Ordnen Sie den Dialog. Kontrollieren Sie mit der CD.

11

☐ Das ist eine Gegensprechanlage.
☐ Ja klar: eine Ge-gen-sprech-an-la-ge.
1 Entschuldigung, ich habe eine Frage.
☐ Entschuldigung, ich kann das nicht lesen.
☐ Gut, danke.
☐ Ja, bitte?
☐ Ja, natürlich.
☐ Können Sie das bitte an die Tafel schreiben?
☐ Okay, ich buchstabiere und Sie schreiben.
3 Wie heißt das auf Deutsch?
☐ Wie bitte? Das verstehe ich nicht. Bitte sprechen Sie langsam.

➕ **Neue Gegenstände, neue Fragen. Schreiben Sie den Dialog aus Übung 5 ins Heft.**

Entschuldigung, ich habe eine Frage.

Zu **6** *Ein(e)* oder *kein(e)*? Ergänzen Sie.

1. _____

2. _____

3. _____

_____

_____

_____

Zu **8** Was ist das? Antworten Sie.

1. Ist das eine Musik-CD?

Nein, das ist keine Musik-CD.

Das ist die Ja-Genau-Audio-CD.

_____

2. Ist das ein DVD-Player?

_____

_____

_____

3. Ist das ein Spiel?

_____

_____

_____

4. Ist das ein Telefonbuch?

_____

_____

_____

5. Ist das ein Buchstabe?

_____

_____

_____

6. Ist das ein Poster?

_____

_____

_____

Zu **9** Was ist anders?

A: *kein Fenster,* _____

B: _____

A und B: _____

_____

_____

Schreiben Sie Sätze wie im Beispiel.

Auf Bild A ist ein Heft, auf Bild B ist kein Heft.

Zu **12** Schnell: Ergänzen Sie die Symbole. Dann schreiben Sie die Artikel.

der-Wörter – der Regen: ▨   das-Wörter – das Kreuz: ✗   die-Wörter – die Blume: ✾

▨ ___ Ball	☐ ___ Alphabet	☐ ___ Tasche	☐ ___ Kurs
☐ ___ Eis	☐ ___ Buch	☐ ___ Stuhl	☐ ___ Name
☐ ___ Sprache	☐ ___ Schrank	☐ ___ Stift	☐ ___ Pflanze

Zu 14 1, 2 oder 3? Welche Silbe ist betont? Markieren Sie!

⊙
12

1. Türkisch · Chinesisch · Italienisch · verstehen

2. Poster · DVD · Fernseher · sehen

3. Musik · CD · Handy · hören

Zu 16 Groß oder klein? Korrigieren Sie und schreiben Sie den Text ins Heft.

> H T
> Hallo, tanja,
>
> was machst du gerade?
>
> mir geht es gut. ich lerne deutsch. wir sind im deutschkurs neun frauen, sieben männer und ein deutschlehrer, also 17. wir reden deutsch, lesen, buchstabieren und schreiben. ich verstehe nicht alles. dann lache ich oder ich frage. emilia spricht sehr gut und weiß viel. sie liest gern. ich nicht. aber ich koche gern, heute spaghetti. emilia kommt. kommst du auch? ich koche gut. ☺
>
> gruß, anna

Zu 17 1) Würfeln und konjugieren Sie.

Welche Form?

⚀ ich   ⚁ du   ⚂ er/sie/es   ⚃ wir   ⚄ ihr   ⚅ sie/Sie

Welches Verb?

⚀ lesen   ⚁ sprechen   ⚂ wissen   ⚃ machen   ⚄ hören   ⚅ schreiben

Beispiel:  *ihr wisst*

2) Welche Formen fehlen? Ergänzen Sie die Verben und lernen Sie die Texte auswendig.

1. Du verstehst und

   ich _____.

   Er _____, sie versteht.

   Wir verstehen und ihr _____.

   Sie verstehen. Und was?

2. Du _____ und

   ich sehe.

   Er sieht, sie _____.

   Wir sehen und ihr seht.

   Sie _____. Und was?

✚ **Schreiben Sie einen Text wie in 2) mit dem Verb *sein*.**

Zu **20** **1)** Wie heißen die Fragen? Verbinden Sie.

1. Kommen Sie   a. auch in Berlin?
2. Lernen Sie   b. aus Griechenland?
3. Was machen   c. hier Deutsch?
4. Wer   d. kommen Sie?
5. Woher   e. Sie hier?
6. Wohnen Sie   f. sind Sie?

2) W-Frage oder Ja-/Nein-Frage? Ordnen Sie die Fragen aus 1) zu.

W-Frage	Ja-/Nein-Frage
	Kommen Sie aus Griechenland?

3) Wie heißen die Sätze?

1. Das – ich – nicht – verstehe – .   _____

2. das – ein – Spiel – Ist – ?   _____

3. eine – Frage – habe – Ich – .   _____

Zu **21** Beate telefoniert. Hören Sie und ergänzen Sie die Fragen.

13

1. ◄_____► Ich lese und höre Musik.

2. ◄_____► Ich bin in Zürich.

3. ◄_____► Nein, ich wohne in Bern. Aber heute bin ich in Zürich, ich fotografiere hier.

4. ◄_____► Nein, nicht gut, aber ich fotografiere gern.

5. ◄_____► Ich sage, ich fotografiere nicht gut, aber gern. Verstehst du? Hallo?

Prüfungsvorbereitung

Lesen, Teil 2
Sie suchen Gegenstände für den Kurs. Wo finden Sie sie? Kreuzen Sie an: A oder B.

www.babelland.de

• Sprachen am Computer lernen
• Onlinekurse: Englisch, Französisch, Deutsch
• 27 Sprachen weltweit

www.schulanfang.com

• Schultaschen, Rucksäcke, Sporttaschen
• Schreiben, Malen, Zeichnen, Markieren
• Hefte, Tafeln, Schreibblocks

☐ A www.babelland.de   ☐ B www.schulanfang.com

Lernwortschatz: Der Kurs, der Deutschkurs

Die Personen

der Lehrer und die Lehrerin
der Mann und die Frau
Wir und ihr: Wie viele Teilnehmer seid ihr im
   Kurs? – Wir sind 16.

Die Dinge im Kursraum?

der Tisch und der Stuhl (D, CH)[1]
das Heft, der Bleistift und der Radiergummi
das Buch, das Wörterbuch
die Tafel und der Schwamm
die CD, der CD-Player
der DVD-Player und der Fernseher
der Overheadprojektor und der Beamer
die Tasche, das Handy
die Uhr, das Poster und der Spiegel
der Papierkorb
die Tür und das Fenster
der Schrank (D, CH)[2] und das Bett
der Kühlschrank
die Pflanze

1 der Sessel (A)
2 der Kasten (A)

Wie bitte?

Ich habe eine Frage. Wie schreibt man das?
Bitte wiederholen! Können Sie das bitte
   wiederholen?
Ja klar.
Können Sie das bitte an die Tafel schreiben?
   Danke!
Bitte sprechen Sie langsam!
Entschuldigung! – Das ist okay.
Kann ich auch etwas sagen? – Ja, natürlich.
Ist das vielleicht ein Buch?
glauben: Ich glaube, das heißt Bleistift.
Ich weiß: Das heißt Pflanze. Ja genau!
stehen: Wo steht das Verb? Wo stehst du?

Das machen wir

schreiben: Wie schreibt man das?
sprechen: Du sprichst Englisch.
suchen: im Wörterbuch suchen
suchen, was passt – Tisch, Stuhl, E-Mail:
   E-Mail passt nicht.
zeigen: im Kursraum zeigen
hören: Musik hören
die Musik
spielen – das Spiel, der Ball
unterstreichen: im Buch unterstreichen
viel wissen: Ich weiß viel.
gut – sehr gut: Sie sprechen (sehr) gut
   Deutsch.

Starthilfen

Sag mal, ...
Ja genau, ...
Also, ...
Ganz einfach, ...

Und was noch?

das Eis (D, A)[3]: Ein Eis oder kein Eis?
Das ist kein Heft, und auch kein Buch.

3 das/die Glace (CH)

Tipp

1. Lernen Sie Nomen in Paaren.
2. Lernen Sie Verben im Satz.

der Tisch und
der Stuhl

sprechen
Du sprichst
Deutsch.

Zu **2** **1)** Was ist richtig? Hören Sie den Dialog. Kreuzen Sie an.

◎
14

☐ Größe: 175 cm

☐ Geburtsort: Warschau

☐ Kinder: drei

2) Korrigieren Sie die falsche Aussage.

Prüfungsvorbereitung

Schreiben. Ergänzen Sie das Formular.

Anmeldung zum Deutschkurs		
Vorname Nachname		Straße, Hausnummer
Geburtsdatum Geburtsort		PLZ, Wohnort
Familienstand Staatsangehörigkeit		Telefonnummer E-Mail

Zu **3** Haben Sie Kinder? Beginnen Sie mit der Frage und schreiben Sie zwei Dialoge ins Heft.

Ja, eins. • Ich habe fünf Kinder, drei Söhne und zwei Töchter. •
Einen Sohn oder eine Tochter? • Einen Sohn •
Oh ja, ich habe Kinder. • Wie viele Kinder haben Sie?

Zu **4** Rätsel. Ergänzen Sie die Fragewörter. 📖 29

1. _____ ist er geboren?   1956.

2. _____ kommt er?   Aus Münster.

3. _____ wohnt er?   In Potsdam.

4. _____ macht er?   Er ist Quizmaster.

5. _____ heißt er?   Lösung: _____

Zu **5** Ein Porträt. Hören Sie und beantworten Sie die Fragen.

1. Wie ist der Vorname? _____

2. Wo ist sie geboren? _____

3. Wie alt ist sie? _____

4. Ist sie ledig? _____

5. Wo wohnt sie? _____

Zu **6** Der Sohn. Ordnen Sie die richtigen Fragen zu.

Wo bist du? • Wann kommst du? • Wer spricht da? •
Wie geht es dir? • Was macht ihr?

1. _____
   Hallo, hier ist Thomas.

2. _____
   Mir geht es gut!

3. _____
   Ich bin bei Annette.

4. _____
   Wir hören Musik.

5. _____
   Das weiß ich noch nicht.

Zu **7** Schreiben Sie passende Fragen.

Name?: _____

Alter?: _____

Familienstand?: *Sind Sie verheiratet oder ledig?* _____

Kinder?: _____

Wohnort?: _____

Geburtsort?: _____

Schreiben Sie ein Rätsel wie in Übung 4.
(Lösung: Ihr Nachbar/ihre Nachbarin im Kurs) 90

Zu **9** Was suchst du? Schreiben Sie Antworten wie im Beispiel.

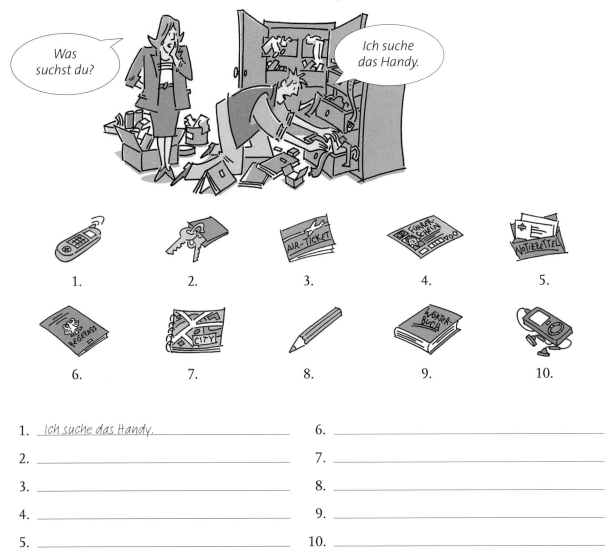

1.   2.   3.   4.   5.

6.   7.   8.   9.   10.

1. _Ich suche das Handy._   6. _____

2. _____   7. _____

3. _____   8. _____

4. _____   9. _____

5. _____   10. _____

Zu **10** Ich brauche ... Ergänzen Sie den Dialog.

das Salz   der Zucker   die Butter

1. ‹ Schnell, siehst du _____ Butter?

   ▌ Bitte, hier ist _____ Butter.

2. ‹ Ich brauche _____ Zucker!

   ▌ Ja, hier ist _____ Zucker.

3. ‹ Und hast du auch _____ Salz?

   ▌ Ja! Hier.

Zu **11** Sympathisch? Lesen Sie den Comic und ergänzen Sie die Artikel.

1. Ich habe ___ein___ Auto.

2. Ich habe _____ Handy.

3. Ich habe _____ DVD-Player und _____ Fernseher.

4. Ich habe _____ Computer.

5. Ich habe _____ Uhr.

Zu **12** Schreiben Sie Fragen und Antworten in Ihr Heft.

der Computer • das Auto • das Handy • der Stadtplan • das Telefonbuch • der DVD-Player • der Bibliotheksausweis • das Haus

Habt ihr eine Kundenkarte?

Eine Kundenkarte? Nein, wir brauchen keine Kundenkarte.

Zu **14** Ergänzen Sie das passende Verb in der richtigen Form.

lesen • suchen • brauchen • brauchen

1. Er _____ eine Telefonnummer.

3. Sie _____ eine Tasche.

2. Du _____ ein Buch.

4. Er _____ einen Freund.

Zu 15 **1) Was passt? Ordnen Sie zu.**

flexibel · freundlich · intelligent · pünktlich · schnell · sportlich

1. *flexibel*

3. _____

5. _____

2. _____

4. _____

6. _____

2) Ja, natürlich … Hören Sie und antworten Sie schnell.

Ja, natürlich bin ich groß.

Sind Sie flexibel?

Ja, natürlich, ich bin sehr flexibel.

Zu 17 **Was macht Frau Missmut nicht gern? Schreiben Sie Sätze.**

Kochen? Nein! · Singen? Nein! · Fotografieren? Nein! · Lesen? Nein! · Schreiben? Nein! · Joggen? Nein!

Frau Missmut kocht nicht gern. Sie …

Zu 19 **Städte. Ergänzen Sie die Fragen und Antworten.**

1. ◖_____ ihr schon mal in Hamburg? ❚ Ja, wir _____ schon mal in Hamburg.

2. ◖_____ du schon mal in Köln? ❚ Nein, aber ich _____ schon mal in Bonn.

3. ◖_____ Maria schon mal in Zürich? ❚ Ja, sie _____ schon mal in Zürich.

4. ◖_____ Sie schon mal in Wien? ❚ Nein, aber ich _____ schon mal in Salzburg.

Zu 20 **Lang oder kurz? Welche Vokale sind kurz? Hören Sie und kreuzen Sie an.**

1. ☐ malen ☐ machen 4. ☐ trinken ☐ spielen

2. ☐ putzen ☐ suchen 5. ☐ sprechen ☐ lesen

3. ☐ hören ☐ können 6. ☐ wohnen ☐ kochen

Lernwortschatz: Reisen, Arbeiten, Wochenende

Wie ist Ihr Name?

der Pass, der Personalausweis (D, A)[1]:
     Der Name steht im Pass.
die Größe – Sie ist 1 Meter 68 groß.
klein und groß, dick und dünn
der Geburtstag und das Alter
jung und alt: Sie ist 38 Jahre alt.
der Familienstand – ledig/verheiratet/
     geschieden: Sie ist geschieden.
das Geschlecht: Mann oder Frau?
die Haarfarbe und die Augenfarbe
der Geburtsort – Ich bin in Hamm geboren.
der Wohnort
die Adresse: die Straße, die Hausnummer, die
     Postleitzahl, der Ort
die Staatsangehörigkeit
Wann? – Neunzehnhundertsechsundsechzig.

1 die Identitätskarte (CH)

Die Sprache, Muttersprache

Meine Muttersprache ist Englisch und
     ich spreche ein bisschen Deutsch.
Der Satz ist lang. / Der Satz ist kurz.

Der Mensch und die Familie

die Familie; das Kind: Sie hat zwei Kinder.
die Tochter und der Sohn
die Freunde – der Freund, die Freundin
der/die Nachbar/in
das Haustier – der Hund

Arbeiten

die Arbeit, der Job: Ich brauche einen Job.
die Stunde: Ich arbeite 40 Stunden
     pro Woche.
der/die Mitarbeiter/in
suchen: Wir suchen einen Mitarbeiter.
die Anzeige, die Zeitung
die Hilfe – helfen: Ich helfe immer gern.
die Putzhilfe: putzen und bügeln
der Frisörsalon (D, A)[2]
organisieren: Ich organisiere gern.

2 der Coiffeursalon (CH)

reparieren: Ich repariere auch Autos.
telefonieren: das Telefon
die E-Mail/das E-Mail (A) und die SMS/
     das SMS (A): eine SMS beantworten
der/die Deutschlehrer/in, die Schule
studieren: Ich studiere Japanisch.

Am Wochenende

die Zeit: viel Zeit, keine Zeit
der Film: Sie mag Filme.
der Sport, das Tennis: Am Wochenende
     spiele ich Tennis.
der Verein: Ich bin im Sportverein.
der Kaffee: Kaffee trinken

Reisen – die Welt

fahren: Bahn fahren, die Bahn –
     die BahnCard (D)[3]
das Fahrrad (D, A)[4], das Motorrad: Ich fah-
     re gern Fahrrad/Motorrad/Bahn.
haben: Hast du das Flugticket?/das Geld?
die Information, das Hotel
sehen: Siehst du den Schlüssel?
der Schlüssel: Wo ist der Schlüssel?
die Stadt und das Land; der Stadtplan
brauchen: Brauchst du einen Stadtplan?
der Führerschein (D, A)[5]: Ich habe einen
     Führerschein Klasse 3.
die Kreditkarte, die Kundenkarte
Ich war schon überall. / Ich war schon mal
     in China.

3 die Vorteilscard (A), das Halbtax (CH)
4 das Velo (CH)
5 der Fahrausweis (CH)

Super, toll

schön, intelligent und erfolgreich –
     natürlich perfekt
sportlich und schnell
freundlich und flexibel
zuverlässig und pünktlich
müde: Bist du müde? Ja, sehr!
richtig oder falsch

Zu **1** Welche Wörter kennen Sie? Schreiben Sie schnell. Ergänzen Sie den Artikel.

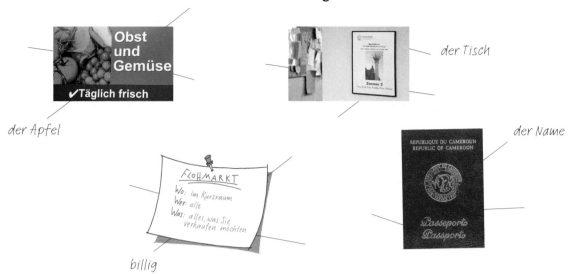

der Tisch

der Apfel

der Name

billig

Zu **3** **1) Sehen Sie das Bild an. Ergänzen Sie die Fragen.**

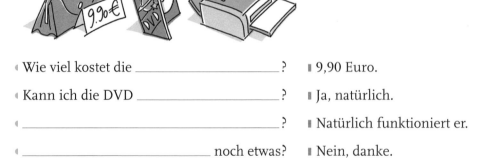

◂ Wie viel kostet die _____? ▮ 9,90 Euro.

◂ Kann ich die DVD _____? ▮ Ja, natürlich.

◂ _____? ▮ Natürlich funktioniert er.

◂ _____ noch etwas? ▮ Nein, danke.

(⊚) 18

2) Lesen Sie die Fragen, hören Sie den Text und antworten Sie.

1. Wer ist auf dem Flohmarkt?

_____

2. Was braucht er?

_____

3. Wie viel kostet er?

_____

4. Wie alt ist er?

_____

Billig oder teuer?

3) Das Gegenteil. Ordnen Sie zu.

teuer • neu • schön • groß

1. Der Apfel ist nicht klein. Er ist sehr _____.

2. Der Fotoapparat ist ganz alt, aber die Tasche ist _____.

3. Du findest das Kleid _____? Ich finde es hässlich.

4. Der Drucker ist nicht billig. Er ist _____.

klein   alt

hässlich   billig

Zu **4** **1) Ergänzen Sie.**

‹ Guten Tag. Ich hätte gern eine _____ Erdbeeren,

zwei _____ Kartoffeln und 500 _____ Zwiebeln.

❙ Bitte schön. Das macht sieben _____ fünfundachtzig.

‹ Bitte. Haben Sie _____ _____ für mich?

❙ Natürlich. Hier, bitte.

2) Karaoke. Hören Sie Rolle 1 und lesen Sie laut Rolle 2.

‹ Rolle 1: …
❙ Rolle 2: Ich hätte gern 500 Gramm Kirschen, eine Schale Erdbeeren, und drei Kilo Kartoffeln.
‹ Rolle 1: …
❙ Rolle 2: Wie viel kostet die Melone?
‹ Rolle 1: …
❙ Rolle 2: Gut. Ich nehme eine. Haben Sie eine Tüte für mich?
‹ Rolle 1: …

Zu **6** **Ergänzen Sie zu jedem Glas ein Beispiel aus Einheit 2.**

1. -(n)en   _die Tür – die Türen_   5. –   _____
2. -¨er   _____   6. -e   _____
3. -s   _____   7. -n   _____
4. -¨e   _____

Finden Sie die Pluralform zu Ihren Nomen aus Übung 1. 96

der Name – die Namen

Zu **7** **1)** Umlaute: *ä, ö, ü*. Hören Sie und sprechen Sie nach.

🔘 20

Das Wort ist schön. – Schon 100 Wörter.
Größe fünfundvierzig? Das ist groß!
Und sie ist natürlich dünn.
Äthiopien in Afrika. Türkei und Russland in Europa.
Das Auto ist alt, aber zuverlässig.
Was?! Der Führerschein ist im Kühlschrank?

🔘 21

2) Hören Sie und ergänzen Sie die Buchstaben.

| F rth | F rth **im Wald** | N rdkirchen | N rdlingen | Schw bach | Schw bisch Hall |

Zu **8** **1)** Hören und antworten Sie im Beispiel.

🔘 22

Brauchst du ein Wörterbuch?

Nein, ich brauche kein Wörterbuch.

Brauchst du einen Drucker?

Nein, ich brauche keinen Drucker.

2) Was passt? Schreiben Sie einen Satz mit *ihn, es* oder *sie* wie im Beispiel.

1. der Drucker / kaufen: *Ich kaufe ihn.*

2. Maria / sehen: _____

3. die CD / hören: _____

4. das Buch / brauchen: _____

5. der Dialog / sprechen: _____

6. der Text / lesen: _____

3) Ordnen Sie die Sätze.

1. kaufe – die Lampe – ich – . _____

2. suche – einen Tisch – ich – . _____

3. einen Drucker – brauchen – Sie – ? _____

4. kauft – den Kühlschrank – ihr – ? _____

5. sieht – er – einen Freund – . _____

6. eine Tasche – hast – du – ? _____

Zu **10** 1) Schreiben Sie die Zahl als Wort.

_____

_____

Quittung Nr.

Währung **EUR**	Betrag in Ziffern
Nettowert	
+ % MwSt.	
Gesamtbetrag in Worten	Gesamtbetrag **375,00**
von	
für	
richtig erhalten zu haben, bestätigt	
Ort	Datum
Buchungsvermerke	Stempel/Unterschrift des Empfängers

2) Rechnen Sie und schreiben Sie die Zahl.

1. $7890 +$ $3479 =$ _elftausenddreihundertneunundsechzig_

2. $27\,600 +$ $450\,000 =$ _____

3. $10\,591 +$ $27 =$ _____

4. $8 + 5\,000\,000 =$ _____

Zu **11** 1) Schreiben, wie man spricht. Notieren Sie die Preise.

Die Äpfel kosten zwei Euro zehn.

2) Wie viel kostet es? Hören Sie die Texte und ergänzen Sie den Preis.

23

1. ein Kaffee   _____

2. ein Espresso   _____

3. eine Cola   _____

4. ein Stück Kuchen _____

3) Hören Sie und reagieren Sie wie im Beispiel.

24

Das Handy kostet 499 Euro.

Was?! 499 Euro – das ist aber teuer!

Prüfungsaufgabe

Lesen, Teil 1
Sind die Aussagen 1–5 **(+) oder** **(–)? Kreuzen Sie an.**

Beispiel:

Susi kauft heute ein.   RICHTIG   ~~FALSCH~~
                                                        +   –

Liebe Jana,

danke für deine Mail. Ja, wir kochen zusammen Spaghetti. Ich habe alles im Haus:
Tomaten, Paprika, Knoblauch und natürlich die Spaghetti. Aber ich habe keine
Zwiebeln. Bringst du zwei mit?
Bis morgen. Liebe Grüße

Deine Susi

---

1. Susi und Jana möchten zusammen kochen.   RICHTIG   FALSCH
                                                      +   –

2. Susi hat Tomaten, Paprika, Zwiebeln und Knoblauch.   RICHTIG   FALSCH
                                                           +   –

Hallo Manuel,

morgen kommt Carmen. Sie ist aus Spanien. Sie wohnt in Madrid. Sie singt gern.
Sie ist 1 Meter 80 groß. Sie ist nicht verheiratet. Sie ist perfekt. Aber sie spricht
kein Deutsch und ich spreche kein Spanisch! Was mache ich jetzt?

Viele Grüße
Jakob

---

3. Carmen wohnt in München.   RICHTIG   FALSCH
                                                       +   –

4. Carmen singt gern.   RICHTIG   FALSCH
                                                       +   –

5. Jakob spricht Spanisch.   RICHTIG   FALSCH
                                                       +   –

Lernwortschatz: Kaufen und verkaufen

Obst und Gemüse

der Markt: auf dem Markt
die Erdbeere, die Banane und die Kirsche
die Zitrone, die Kiwi und die Melone
aber der Apfel
der Salat – der Tomatensalat
die Tomate[1], die Zucchini[2], die Aubergine[3]
die Pilze, die Kartoffeln und Zwiebeln
der Knoblauch, die Paprika

1 der Paradeiser (A)   2 die Zucchetti (CH)   3 die Melanzani, *Pl:* Melanzane (A)

So viel

das Pfund (D) = 500 Gramm = ein halbes Kilo
das Gramm[4] (g), das Kilo (kg)
die Tonne (t) = 1000 Kilo
die Million: eine halbe Million (= 500 000)
über drei Millionen > 3 000 000
die Tüte (D)[5]: eine Tüte Äpfel
die Schale, das Glas, die Packung, das Stück

4 in (A): 10 g = 1 Deka   5 das Sackerl (A), der Sack (CH)

Auf dem Flohmarkt

kaufen und verkaufen
der Pullover und das Kleid
die Kette: Die Ketten sind schön/hässlich.
die Vase, die Lampe
der Topf[6]: Drei Töpfe für nur 9,99 Euro.
der Computer und der Drucker
der Fotoapparat
funktionieren: Funktioniert der Drucker?

6 die Pfanne (CH)

Im Geschäft – höflich fragen

einkaufen, die Einkaufsliste
das Geschäft – der/die Verkäufer/in
Was hätten Sie denn gern? / Was möchten Sie?
Noch mehr? / Möchten Sie noch etwas?
Ja natürlich. / Bitte schön. / Vielen Dank.
der/die Kunde/-in: Ich hätte gern ...
Ich nehme ... / Ich bekomme ...
Dann nehme ich noch ...
Kann ich das mal sehen?
Haben Sie vielleicht ...?

Der Preis

kosten: Wie viel kosten die Bananen?
Was macht das?
billig ≠ teuer. Das ist aber teuer!
der Euro: Das macht zwei Euro fünfzig.
das Angebot: Die Äpfel sind im Angebot:
    Heute nur ein Euro pro Kilo.
der Rabatt – Gibt es einen Rabatt?

Guten Appetit!

essen: ich esse, du isst, er/sie isst
das Frühstück: das Brötchen/das Brot
die Laugenstange, die Brezel, das Croissant
das Rezept und das Mehl; der Kuchen
Ich brauche Mehl für den Kuchen.

Okay?

Na, wie finden Sie das? – Super!
ganz gut = okay
mögen: Mögen Sie Croissants?
lecker (D): Ja, die sind ist sehr lecker.

eine Party im Haus

die Party: eine Party planen
der Tag – heute – jetzt
der Stress: Stress bekommen
leben: Hier leben vier Familien.
Wo? – Da!
nebenan: Er wohnt nebenan.
unten: Sie wohnt ganz unten.

Alles im Kopf?

der Kopf, die Köpfe
denken: Was denkt sie? ... Ah so!
Wörter üben
hören und sehen, riechen und fühlen

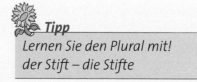
Tipp
Lernen Sie den Plural mit!
der Stift – die Stifte

140

Zu **2** Ein Interview.
Verbinden Sie die Fragen
und Antworten.
Kontrollieren Sie mit der CD.

1. ‹ Wo leben Ihre Kinder?
2. ‹ Haben Sie Geschwister?
3. ‹ Leben Ihre Eltern noch?

4. ‹ Sehen Sie Ihre Eltern oft?

A ❙ Ja, mein Vater und meine Mutter leben noch.
B ❙ Nein, ich kann sie leider nur selten besuchen.
C ❙ Ja, drei, mein Bruder heißt Pivo, meine Schwestern
heißen Nadja und Anna.
D ❙ Meine Söhne leben in Berlin.

Zu **5** Ergänzen Sie den Stammbaum von Tanja Becker.

Lisa
Waschkawitz

⚭

Horst
Waschkawitz

1 _____

2 _____

Ilona
Waschkawitz

ihre Tante

Peter
Waschkawitz

3 _____

Klaus
Waschkawitz

⚭

Karin
Waschkawitz

4 _____

5 _____

Carlos
Sánchez

⚭

Inge
Sánchez

ihr Schwager

6 _____

Christian
Waschkawitz

7 _____

Tanja Becker

⚭

Michael
Becker

8 _____

Ana

9 _____

Luis

10 _____

Lisa

11 _____

Linus

12 _____

➕ Christian Waschkawitz. Schreiben Sie Sätze wie im Beispiel.

Tanja Becker ist seine Schwester.

Zu **7** **1)** Die Familie von Klaus. Hören Sie und ordnen Sie die Namen zu.

26

Klaus

1. Wolfgang
2. Peter
3. Helmut
4. Helga
5. Martina
6. Britta
7. Julia
8. Gertrud

2) Prüfungstraining: Welche Wörter passen hier? Kreuzen Sie an: a, b oder c.

__0__ ist die __1__ von Klaus. Ganz links sind __2__ Großvater Wolfgang und sein __3__ Peter. Klaus ist hinten in der Mitte. Links __4__ sein Vater Helmut und rechts, das ist seine Mutter Helga. Ganz rechts, das ist seine Schwester Martina. Vorne links sind seine Cousinen Britta und Julia. Vorne rechts ist seine __5__ Gertrud. Das ist seine Lieblingstante.

Beispiel:
0. a) [X] Das   b) [ ] Wer   c) [ ] Klaus

1. a) [ ] Haus   b) [ ] Eltern   c) [ ] Familie
2. a) [ ] sein   b) [ ] ihre   c) [ ] deine
3. a) [ ] Bruder   b) [ ] Mutter   c) [ ] Sohn
4. a) [ ] war   b) [ ] ist   c) [ ] sind
5. a) [ ] Onkel   b) [ ] Cousine   c) [ ] Tante

Zu **8** Frau Berta. Ergänzen Sie die passenden Possessivartikel.

_____ Mann und ich sind schon 40 Jahre verheiratet.

Wir leben seit 30 Jahren in Bielefeld. *Unsere* Kinder sind

schon groß. Sie leben nicht mehr hier. _____ Sohn lebt

in Stuttgart. Er ist verheiratet; _____ Frau ist sehr nett.

_____ Tochter ist nicht verheiratet. Aber sie hat zwei Kinder und wohnt in Frankfurt.

_____ Kinder sind acht und zehn Jahre alt. Ich habe keine Geschwister mehr.

_____ Bruder und _____ Schwester sind schon tot. _____ Mann hat noch

zwei Geschwister. _____ Bruder lebt in Bukarest, _____ Schwester lebt in Salzburg.

Zu **9** **1)** Gehen Sie zu Übung 11 auf Seite 93.
Schreiben Sie den Text neu wie im Beispiel. 📖 93

Beispiel: Das ist sein Auto.

_____

_____

_____

2) Das gibt Ärger. Schreiben Sie Fragen und Antworten.

Ist das Ihr Auto?
Nein, das ist nicht unser Auto.
Ist das Ihr ...

Zu **10** Hören Sie und fragen Sie zurück wie im Beispiel.

🔘 27

Das ist mein Kleid.   *Was?! Dein Kleid???*   Ja, mein Kleid.

Zu **11** Wie oft hören Sie *ei*? Hören Sie die CD zweimal und ergänzen Sie die Zahl.

🔘 28

1. _____   2. _____   3. _____   4. _____

Zu **13** **1)** Klaus besucht seine ganze Familie. Wen besucht er?
Sehen Sie sich nochmal das Foto in Übung 7 auf Seite 103 an. Schreiben Sie Sätze. 📖 103

Klaus besucht seinen Großvater und ...

2) *Brauchen, kaufen, verkaufen.* Schreiben Sie Sätze wie in den Beispielen.

Beispiele: Sie kauft unseren CD-Player. / Wir brauchen deinen Computer.

Ich		mein	Computer.
Du		dein	Auto.
Er / Sie	*verkaufen*	sein	Handy.
Wir	*kaufen*	ihr	Uhr.
Ihr	*brauchen*	unser	CD-Player.
Sie		euer	Fernseher.
		ihr	Tisch.

Zu **14** Das Verb *mögen*. Würfeln Sie und schreiben Sie Sätze wie im Beispiel.

Äpfel · Melonen · Knoblauch · Kaffee · Fußball · Tee · Erdbeeren

⚀ ich   ⚁ du   ⚂ er/sie   ⚃ wir   ⚄ ihr   ⚅ sie/Sie

Ich mag Äpfel.

Zu **15** Was sagt die Chefin? Schreiben Sie die Sätze in Ihr Heft.

Herr Schneider!
Wo ist mein Bleistift?
Ich brauche meinen
Bleistift!

Was denkt Herr Schneider? Hören Sie die Fragen, antworten Sie laut wie im Beispiel.

29

Ihr Bleistift?
Ich sehe keinen
Bleistift.

Zu **16** Sascha ist krank. Ordnen Sie die Sätze und schreiben Sie.

1. nicht – gehen – Sascha – kann – zur Schule

_____ .

2. bleiben – Er – muss – im Bett

_____ .

3. muss – Seine – schreiben – Entschuldigung – Mutter – eine

_____ .

4. Entschuldigung – Schwester – Seine – mitnehmen – die – kann

_____ .

5. Mutter – Entschuldigung – muss – Seine – unterschreiben – die

_____ .

Zu **19** **Krank! Ergänzen Sie die richtige Form von** *müssen.*

1. Du _____ Fieber messen.

2. Ich _____ heute im Bett bleiben.

3. Wir _____ eine Entschuldigung schreiben.

4. Ihr _____ die Entschuldigung unterschreiben.

5. Anna _____ Tee trinken.

6. Frau Meyer, Sie _____ zum Arzt gehen!

Zu **21** **1) Kannst du gut …? Schreiben Sie die Fragen.**

1. _____ 2. _____ 3. _____   4. _____ 5. _____ 6. _____

_____   _____

_____   _____

_____

Beantworten Sie die Fragen aus 1).

Ja, ich kann gut kochen. / Nein, ich kann nicht gut kochen.

2) Wir sind super! Schreiben Sie Sätze.

1. Mein Vater kann sehr gut _____.

2. Meine Mutter _____ sehr gut

_____.

3. Meine Geschwister _____ sehr gut

_____.

4. Meine Tante _____ sehr gut

_____.

Zu **22** **Was passt? Ergänzen Sie.**

Urlaub!

Wir müssen nicht _____ . Wir müssen nicht ins Büro.

Wir können im _____ _____ . Wir können

_____ oder _____ .

Lernwortschatz: Rund um Familie

Die Familie

die Eltern = der Vater und die Mutter
die Großeltern = der Großvater und
   die Großmutter
der Mann (Ehemann) und die Frau (Ehefrau)
das Enkelkind, der/die Enkel/in
die Geschwister = der Bruder, die Schwester
die Tante und der Onkel; der/die Cousin/e
der Neffe und die Nichte

Das Fest

besuchen: Ich besuche meine Familie.
die Hochzeit: Hochzeit feiern
das Restaurant: im Restaurant sitzen
Das Geburtstagskind feiert seinen
   13. Geburtstag.
Einige Kinder sind schon da.
einmal: Einmal im Jahr ist Geburtstag.
wichtig: Die Familie ist sehr wichtig.
zusammen ≠ allein – Wir feiern zusammen.
Heute bin ich allein.
Sie passen gut zusammen.
der Spaß: Spaß haben
lustig, fröhlich ≠ traurig
Freut mich. / Schön, Sie kennenzulernen!

Das Leben ist angenehm!

die Wärme – die Geborgenheit
einige < viele. Ich habe viele Freunde.
frei haben: Heute müssen wir nicht ins Büro.
   Heute haben wir frei.
bleiben: Wir können im Bett bleiben.
die Ruhe
der Urlaub: Im Urlaub habe ich Ruhe.
Heute beginnt mein Urlaub.
nach Österreich/Berlin fahren
die Wohnung
fernsehen
der Fußball: Fußball spielen
laufen: Mein Kind kann schon laufen!
der Comic: Comics lesen
süß: Die Kinder sind süß.
lieb: Sie sind lieb.

Oh, nein!

laut ≠ leise
Schrecklich! Die Kinder sind so laut!
anstrengend: Ist das heute anstrengend!
nervös ≠ cool
nerven: Du nervst!
sauer (sein): Meine Frau ist jetzt sauer.
das Problem: Ich habe ein Problem.
mein Schuh – Ich kann nicht mehr stehen.
stehen ≠ sitzen
vermissen: Wen vermisst du? Die Kinder.
tot (sein): Sein Vater ist leider schon tot.

Gute Besserung!

krank sein
die Erkältung: Du hast eine Erkältung.
das Fieber: Hast du Fieber?
Fieber messen
müssen: Du musst heute im Bett bleiben.
der Arzt/die Ärztin: zum Arzt gehen
das Medikament: Medikamente nehmen
die Brille: Ich brauche eine Brille.
der Tee: Tee kochen
die Schule: zur Schule gehen
entschuldigen – die Entschuldigung
vergessen: Vergessen Sie nicht, Sie müssen
   unterschreiben

Einen Brief schreiben

beginnen: Liebe Frau … / Lieber Herr …
Mit freundlichen Grüßen

Wo?

dort: Dort leben auch ihre Großeltern.
links – in der Mitte – rechts
vorne und hinten / oben und unten

Wann?

morgen
erst: Ich komme erst morgen, nicht heute.
selten ≠ oft
seit – Ich lebe seit 1980 in Deutschland.

Zu **1** Wie lange? Ordnen Sie von kurz nach lang und notieren Sie die Buchstaben in Rot.
Wie heißt der Satz?

48 Stunden • drei Stunden • sechshundertdreißig Wochen • neunzig Minuten •
elf Jahre • eine Stunde • vierzehn Tage • ein Tag • zwei Minuten • neun Monate

___ ___ ___ ___   ___ ___ ___ ___ ___ ___.

Zu **2** Monate: 31 Tage oder nicht? Ergänzen Sie die Monatsnamen.

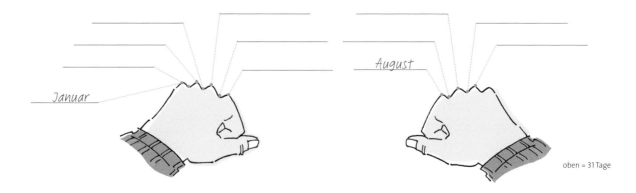

Januar

August

oben = 31 Tage

Zu **3** Jahreszeiten. Schreiben Sie einen Text.

der Apfelkuchen

das Blatt, die Blätter

Im Frühling pflanze ich _____
_____
_____
_____
_____
_____

Zu 5 1) Was passt zusammen? Hören Sie und ordnen Sie zu.

30

> Ich habe Urlaub.
> Ich muss nicht arbeiten.
> Ich kann lesen und schlafen.
> Wunderbar!

> Keine Schule, aber das
> Wetter ist schrecklich.
> Was mache ich jetzt?

> Super, der Wind!
> Wo ist mein Drachen?

1. ☐   2. ☐   3. ☐

> Das sieht nach Regen aus!
> Schnell nach Hause,
> wir haben keinen Schirm!

> Himmel, bei uns in Berlin
> ist es sooo kalt! In München
> auch?

4. ☐   5. ☐

2) Beschreiben Sie das Wetter auf den Fotos. Benutzen Sie *es*.

A _____   D _____

B _____   E _____

C _____

3) Wählen Sie ein Bild und lernen Sie den Text auswendig. Kontrollieren Sie die Aussprache mit der CD.

Zu 6 Winter oder Sommer? Sarah aus Australien erzählt. Hören Sie den Text und ergänzen Sie.

31

Im Juli ist es _____ . Es ist _____ . Aber es ist trocken.

Im Sommer _____ es und manchmal _____ es. Sommer,

das heißt Dezember bis _____ . Es ist sehr _____ und

schwül. Die Sonne _____ oft und das Wetter ist toll.

Wir sind viel draußen: Wir schwimmen, grillen und essen _____ .

Ich mag den _____ sehr, besonders Weihnachten.

Was ist in D A CH anders?
Schreiben Sie einen Text in Ihr Heft.

Zu 7 Wie war das Wetter gestern? Schreiben Sie Sätze zu den Bildern.

sonnig · schneien · windig · regnen

Gestern war _____

_____

_____

_____

Zu 8 Zwei Freunde. Infini schreibt einen Text. Er kennt die Verben, kann aber nicht gut konjugieren. Per hilft ihm. Was ändert er? Schreiben Sie den Text in Ihr Heft.

Letztes Jahr haben wir in Heidelberg einen Deutschkurs machen. Fast jeden Tag hat es regnen, manchmal hat es auch blitzen und donnern. Das Wetter war schrecklich! Wir sind zu Hause bleiben und haben zusammen lernen und kochen. Oft ist Besuch kommen und ich habe viel lachen. Das war super.

Zu 9 Sie haben Prag besucht. Was haben Sie gemacht? Schreiben Sie Sätze.

1. bis 14 Uhr arbeiten _____

2. ein Ticket kaufen _____

3. Zug fahren und Musik hören _____

4. die Altstadt sehen _____

5. viel fotografieren _____

Zu 12 Was ist richtig? Hören Sie die Wettervorhersage. Kreuzen Sie an.

32

1. a) Die Sonne scheint. ☐
   b) Es gibt keinen Schnee. ☐
   c) Es schneit. ☐

2. a) 13 bis 15 Grad. ☐
   b) −3 bis −5 Grad. ☐
   c) −2 Grad. ☐

Zu 16 Wie spät ist es? Hören Sie und ergänzen Sie die Zeiger.

33

Text 1: ◯ Text 2: ◯ Text 3: ◯ Text 4: ◯ Text 5: ◯

Zu **17** Schreiben Sie die Uhrzeiten.

	privat	offiziell
16:45	_Viertel vor fünf_	
17:40		
00:00		
13:20		
20:10		
22:57		

Zu **18** Was ist nicht pünktlich? Kreuzen Sie an. Mehrere Antworten sind möglich.

1. Sie sind verabredet:

- [ ] a) halb drei
- [ ] b) halb vier
- [ ] c) fünf nach drei
- [ ] d) fünf vor drei

2. Sie fahren nach Zürich:

- [ ] a) fünf nach zwei
- [ ] b) Viertel nach zwei
- [ ] c) halb drei
- [ ] d) zwei Uhr

3. Sie haben eine Einladung zum Essen:

Einladung

zu einem
festlichen Abendessen
bei Anette und Dieter
um 20:00 Uhr am 02.12.2010

Wir freuen uns auf euch!

- [ ] a) zwanzig vor acht
- [ ] b) kurz vor acht
- [ ] c) kurz nach acht
- [ ] d) halb neun

Zu **20 1) Haben Sie gestern...? Wenn ja, wann? Notieren Sie die Uhrzeit.**

telefoniert? _____ gekocht? _____

Hausaufgaben
gemacht? _____ gelacht? _____

gespielt? _____ etwas gelernt? _____

eine Person gefragt,
Musik gehört? _____ wie spät es ist? _____

2) Schreiben Sie mit den Zeiten aus 1) Sätze.

Gestern habe ich um halb vier telefoniert. Um halb sieben habe ich ... _____

_____

_____

_____

3) Was passt zusammen? Ergänzen Sie *im* oder *um*.

1. Wann kommst du heute? _____ fünf oder erst _____ halb acht?

2. Ich habe leider _____ Winter Geburtstag. Aber ich mache immer eine Party,

   man hat ja nur einmal _____ Jahr Geburtstag.

3. ‹ Wann machst du Urlaub? _____ Juli oder _____ August? ▮ _____ Juni.

4. ‹ Gehen wir _____ eins essen? ▮ Ja, gern.

Prüfungsvorbereitung

Schreiben, Teil 2
Schreiben Sie eine Entschuldigung für die Schule. ☐ 52

– Sie waren gestern nicht im Deutschkurs.
– Es hat viel geschneit und es war sehr kalt.
– Ihr Auto ist nicht gefahren.
– Sie entschuldigen sich.

Schreiben Sie zu jedem Punkt einen Satz. Denken Sie an: Datum, Anrede, Gruß.

Lernwortschatz: Das Jahr, das Wetter, die Zeit

Das Jahr – 12 Monate

der Monat: Das Jahr hat 12 Monate.
der Januar, Februar, März, April,
Mai, Juni, Juli, August,
September, Oktober, November, Dezember
die Jahreszeit: vier Jahreszeiten
der Frühling, Sommer, Herbst, Winter

Die Woche – sieben Tage

der Montag, Dienstag, Mittwoch,
Donnerstag, Freitag
Samstag, Sonntag – das Wochenende

 Tipp

Monatsnamen, Wochentage und Jahreszeiten: alle mit **der**.

Wann?

der Morgen und der Abend
der Vormittag und der Nachmittag
Wann? – Um drei Uhr.
Wie spät ist es?
die Uhr, die Uhrzeit – Es ist acht Uhr. (8:00)
Es ist halb vier. (15:30)
Es ist Viertel nach sieben. (19:15)
vor ≠ nach
kurz: kurz vor zwölf (11:58)

Das Wetter

die Wettervorhersage – Das Wetter für
   morgen.
heiß ≠ kalt
heiß – warm – kalt
bewölkt: Es ist bewölkt.
regnen: Es regnet. Es hat stark geregnet.
der Regenschirm
schneien: Es schneit. Es hat geschneit.
der Schnee: Bei uns gibt es wenig Schnee.
wenig ≠ viel
weiß wie Schnee
die Sonne: Heute scheint die Sonne.
   Es ist sonnig.

der Himmel: Der Himmel ist blau.
windig: Es ist windig.
stürmen: Es stürmt. Es hat gestürmt.
ein bisschen = wenig. Es regnet ein bisschen.
hell ≠ dunkel
trocken ≠ nass

Was machen wir?

Schlitten fahren: Im Winter fahren wir
   Schlitten.
das Plätzchen (D)[1]: Plätzchen backen
bauen: einen Schneemann bauen
die Blume: Blumen pflanzen
grillen (D, A)[2]: Im Sommer kann man grillen.
der Heuschnupfen: Heuschnupfen haben
der Zug: Zug fahren
Ich bin Zug gefahren.
der Besuch: Heute kommt Besuch.
fertig (sein): Bist du schon fertig?

1 der Keks (D, A); das Guetzli (CH)
2 grillieren (CH)

Was war los?

plötzlich
der Knall: Plötzlich habe ich einen Knall
   gehört.
sofort: Ich gehe sofort ins Wohnzimmer.
gefährlich: Das war gefährlich!
kaputt sein ≠ funktionieren
Der Fernseher ist kaputt. Er funktioniert
   nicht.

Im Haus oder draußen?

zu Hause (sein/bleiben): Ich bleibe heute
   zu Hause.
Wir sind zu Hause geblieben.
das Wohnzimmer, die Küche
draußen ≠ im Haus

Das Leben

Das Leben ist schön.
Und gefährlich?
Oder langweilig?

Zu **3** Was machen wir im Alltag? Ergänzen Sie.

1. _____ 2. _____ 3. _____

4. _____ 5. _____ 6. _____

Zu **5** **1) Was macht Frau Mayer? Ordnen Sie die Sätze, ergänzen Sie dann die Fragen und schreiben Sie Antworten.**

Um 7:30 Uhr geht sie zur Arbeit. ☐

Dann frühstückt sie. ☐

Frau Mayer muss um 7:00 Uhr aufstehen. ☐

Sie trinkt einen Kaffee und isst ein Croissant. ☐

Zuerst duscht sie zehn Minuten und singt laut. ☐

Danach putzt sie die Zähne. ☐

Wann muss Frau Mayer aufstehen?   *Sie muss um 7:00 Uhr aufstehen.*

Was macht sie _____ ?   _____ .

Und was _____ ?   _____ .

Was _____ ?   _____ .

Was _____ ?   _____ .

Wann _____ ?   _____ .

🔘
34

2) Karaoke. Hören Sie Rolle 1 und sprechen Sie Rolle 2.

◁ Rolle 1: ...
▮ Rolle 2: Wie immer. Wann gibt es Essen?
◁ Rolle 1: ...
▮ Rolle 2: Ja klar, sofort. Was gibt es denn?
◁ Rolle 1: ...
▮ Rolle 2: Gibt es auch Nachtisch?
◁ Rolle 1: ...
▮ Rolle 2: Okay, ich geh ja schon. Oh ... das Telefon!

Zu **6** Welches Verb passt nicht in die Reihe? Markieren Sie.

1. Büro: arbeiten   spielen   schreiben   telefonieren
2. E-Mails: lesen   beantworten   schreiben   singen
3. Termine: haben   sprechen   vergessen   notieren
4. Haushalt: anziehen   bügeln   putzen   einkaufen
5. Pflege: waschen   kämmen   anziehen   lesen

Zu **7** Der Arbeitstag von Frau Kroll.

35

1) Hören Sie und notieren Sie die Reihenfolge.

☐ Kaffee kochen   ☐ Kollegin Sybille kommt

☐ Computer anmachen   ☐ über die Kinder sprechen

☐ Tochter anrufen   ☐ Brötchen essen

2) Beschreiben Sie ihren Tag. Benutzen Sie *zuerst, dann, danach*.

Zuerst isst Frau Kroll ...

den Computer anmachen:
Sie macht den Computer an.

Zu **8** Wortakzent bei trennbaren Verben. Hören Sie und sprechen Sie nach. Hören Sie noch einmal und markieren Sie den Wortakzent.

36

anfangen und aufhören   aufstehen und anziehen

anrufen und abholen   ankommen und einkaufen

Zu **9** Am 8. März macht Herr Klimik alles für seine Frau. Schreiben Sie Sätze.

> **8. März**
> *Internationaler Frauentag*

1. Um 6:30 Uhr aufstehen   *Herr Klimik steht um* _____

2. Um 7:00 Uhr Frühstück machen   _____

3. Um 8:00 Uhr eine Rose kaufen   _____

4. Um 14:00 Uhr die Kinder abholen   _____

5. Um 15:00 Uhr einkaufen   _____

6. Um 17:00 Uhr das Essen kochen   _____

Zu **10** Schreiben Sie die Sätze aus Übung 9 im Perfekt.

1. Herr Klimik ist gestern um 6:30 Uhr aufgestanden.
2. Um sieben Uhr hat er ...

Zu **12** Geburtstage.
🎧 Hören Sie und ergänzen Sie die Namen.
37

1. Paul
2. Natascha
3. Tim
4. Maria
5. Caro
6. Mario
7. Agneta

Meine Freunde und ihre Geburtstage

17. Januar	_____
07. Februar	_____
25. März	_____
07. April	_____
03. Mai	_____
14. Juni	_____
03. Juli	_____

Zu **13** **1) Was können Lukas und seine Oma vom**
🎧 **1. bis 7. August machen? Hören Sie zu und**
38 **kreuzen Sie an.**

	ja	nein
1. in die Stadtbibliothek gehen	☐	☐
2. in den Zoo gehen	☐	☐
3. Eis essen	☐	☐

🎧 **2) *Von* oder *vom*? Schreiben Sie. Vergleichen Sie mit der CD.**
38

a) 17.05.–25.05.   *vom siebzehnten bis fünfundzwanzigsten Mai* _____

b) 9:00–10:00   _____

c) 30.07.–31.07.   _____

d) 16:30–19:45   _____

e) 04.12.–08.01.   _____

f) 21.03.–28.03.   _____

g) 12:00–18:00   _____

h) 08.07.–26.07.   _____

Ergänzen Sie:

Datum: _____   Uhrzeit: _____

Zu **14** **1)** Termine, Termine. Hören Sie und ergänzen Sie die Termine von Herrn Kowalski.

39

APRIL	APRIL
2 Montag	Donnerstag **5**
16:00 Uhr Fußball Michael	
3 Dienstag _Zahnarzt_	Freitag **6**
4 Mittwoch	_Geburtstag Oma:_ _Restaurant_ Samstag **7**
	Sonntag **8**

39

2) Einen Termin vereinbaren. Ergänzen Sie den Dialog mit den Sätzen.
Kontrollieren Sie mit der CD.

Vormittags? Das ist aber schlecht. • Ja, auf Wiedersehen. • Kowalski. Hallo? •
Gut, dann komme ich am Donnerstag um vier. • Ah ja, hallo. Was gibt es?

◀ _____

▌ Guten Tag, Herr Kowalski. Mein Name ist Maierbeck. Ich bin die Lehrerin von Sergio.

◀ _____

▌ Ich möchte gern mit Ihnen über Sergio sprechen. Wann hätten Sie denn Zeit?

◀ _____

▌ Am Donnerstag geht es auch nachmittags. Da bin ich bis 17 Uhr in der Schule.

◀ _____

▌ Sehr schön. Bis Donnerstag.

◀ _____

Zu **15** **1)** Mein Tag. Ordnen Sie die Verben in die Tabelle. Schreiben Sie vier Sätze in Ihr Heft.

schlafen • frühstücken • fernsehen • duschen • kochen • lesen • Freunde treffen

morgens	mittags	abends	nachts

2) Heimweh. Ergänzen Sie den Text.

aus • Bis • bis • Dann • ins Bett • nach • ~~um~~ • Von • zur Arbeit • im

Liebe Mama,

es geht mir gut, aber meine Tage sind immer gleich: Morgens stehe ich _um_ sieben Uhr auf.
_____[1] dusche ich. _____[2] Viertel vor acht frühstücke ich und danach gehe ich
_____ _____[3]. _____[4] neun _____[5] sechs Uhr abends stehe ich im
Geschäft. Gegen 19 Uhr bin ich zu Hause: Ich koche, esse, lese noch ein bisschen oder sehe fern
und kurz _____[6] zehn gehe ich _____ _____[7]. Ich habe keine Zeit mehr und
bin sehr allein. Kommst du _____[8] August?
Liebe Grüße _____[9] Deutschland.
Deine Noemi

Prüfungsvorbereitung

Hören, Teil 1. A, b oder c? Sie hören jeden Text zweimal.

40

1. Wann kommt Maria?

JUNI 15	JUNI 5	JUNI 25
a) ☐	b) ☐	c) ☐

2. Wann hat die Bibliothek geöffnet?

Öffnungszeiten Mo.–Fr.: 10–20 Uhr Sa.: 10–15 Uhr	Öffnungszeiten Mo.–Fr.: 10–16 Uhr Sa.: 10–15 Uhr	Öffnungszeiten Mo.–Fr.: 10–18 Uhr Sa.: 10–15 Uhr
a) ☐	b) ☐	c) ☐

3. Wann ist der Arzttermin?

Montag 12 Uhr Zahnarzt	Montag 14 Uhr Zahnarzt	Freitag 12 Uhr Zahnarzt
a) ☐	b) ☐	c) ☐

Hören, Teil 2
Richtig oder falsch? Sie hören jeden Text einmal.

41

4. Anton hat am 9. September einen Arzttermin.   RICHTIG   FALSCH

5. Pavel lernt von 9:00–13:00 Uhr Deutsch.   RICHTIG   FALSCH

6. Maria sieht ihre Freundin um 18:00 Uhr.   RICHTIG   FALSCH

Lernwortschatz: Der Tagesablauf

Der Morgen – Am Morgen

schlafen: Am Sonntag schlafe ich bis zehn.
aufwachen: Ich wache um neun auf.
aufstehen ≠ ins Bett gehen
Ich bin um zehn aufgestanden.
das Bad: Ich gehe zuerst ins Bad.
duschen oder baden
der Hunger: Ich habe Hunger!
zuerst frühstücken, dann Zähne putzen
die Haare kämmen: Ich muss noch meine
    Haare kämmen.

Die Freizeit

zu Hause bleiben
das Museum und der Zoo
die Bibliothek – Bücher lesen
das Freibad: ins Freibad gehen
das Theater und die Oper; das Konzert
das Kino: Gehen wir ins Kino?
Karten spielen – am Computer spielen
spazieren gehen oder Freunde treffen
das Café: im Café frühstücken
Wie war Ihr Tag? Erzählen Sie.
die Ferien: Lukas hat Ferien.

Haushalt und Beruf

der Beruf: Ich mag meinen Beruf.
die Haushaltshilfe: Ich arbeite halbtags als
    Haushaltshilfe.
putzen: Ich muss das Zimmer putzen und
    die Wäsche machen.
bügeln: Ich bügele/bügle nicht gern.
abholen: Holst du die Kinder ab?
der Kindergarten: Wann beginnt
    der Kindergarten?
endlich: Endlich gibt es Mittagessen.
abwaschen: Heute wasche ich ab.
der Altenpfleger/die Altenpflegerin

nicht mehr: Sie kann nicht mehr laufen.
nicht mehr ≠ immer noch
Ich arbeite immer noch.
waschen und anziehen: Ich wasche
    Frau Müller und ziehe sie an.
zuerst – dann – danach
der Kaufmann/die Kauffrau
das Büro: ins Büro gehen
der Kollege/die Kollegin
anrufen: Ich rufe den Kollegen an.
den Computer anmachen: Ich mache
    ihn an.
der Kalender, der Termin: Termine
    machen
aufhören: Um fünf Uhr höre ich auf
    und gehe nach Hause.
anfangen ≠ aufhören
der Feierabend: Um fünf Uhr ist
    Feierabend.
Ich freue mich so!

Die Öffnungszeiten

das Bürgerbüro
öffnen: geöffnet ≠ schließen: geschlossen
Achtung! Heute geschlossen!
von ... bis ... – von 9 bis 17 Uhr
vom 13. bis (zum) 22. April
morgens – mittags – abends
vormittags geöffnet – nachmittags
    geschlossen
täglich = jeden Tag

Wie immer: zu spät!

früh ≠ spät
dauern: Wie lange dauert das noch?
da sein: Wir müssen um acht Uhr da sein!
Beeil dich! Ich muss bald los!
sauer sein: Mein Chef war sauer.

Lernen an Stationen

Runde 1: Einpacken.

Für jede Station haben Sie 10 Minuten Zeit. Sammeln Sie Ihre Ergebnisse in einer „Wiederholungskiste".

Lernstation 1: Was wissen Sie über den Mann?
a) Blättern Sie auf Seite 27.
Ergänzen Sie die Satzanfänge. 27

Er ist ...
Er hat ...
Er kann ...
Er mag ...
Er war schon ...
Seine Familie...
Er muss...
Er ...

b) Schreiben Sie mindestens zwei Sätze auf Karton-Papier. Schneiden Sie den Satz in Teile und legen Sie die Teile in einen Umschlag.

* Schreiben Sie nur die Nomen groß!

Lernstation 2: Tabu-Karten
Schreiben Sie Karten wie im Beispiel. Benutzen Sie Wörter aus den Einheiten 1–7.

Obst	Stuhl	Bäckerei	Kind
Apfel	Tisch	Brot	Mutter
Gemüse	Klassenraum	Kuchen	Schule
essen	sitzen	kaufen	...

Schon fertig? Zwischenstation A: Elfchen schreiben.

(1 Wort):	Titel	Frühstück	
(2 Wörter):	Was? Wo? Wer?	Kaffee, Croissant	
(3 Wörter):	Wie?	Heiß, gut, süß	
(4 Wörter):	Aktion?	Essen und trinken, sitzen	
(1 Wort):	Fazit	Ruhe	

groß
Tomate   kalt
krank   Urlaub   Deutsch
Familie
schnell   ich
Sonne
Winter   Zeit
Auto

Lernstation 3: Texte raten.

a) Erinnern Sie sich? Auf welcher Seite steht der Text? Sie brauchen Ihr Kursbuch.

Frage	**Antwort**
1. Wie viele Personen sind es?	Zwei
2. Was machen sie?	Sie telefonieren.
3. Wo sind/waren sie?	Zu Hause und in der Schule.
4. Wichtige Wörter im Text:	Sohn, krank, Entschuldigung schreiben
5. Was ist passiert?	Sascha ist krank und kann nicht zur Schule gehen. Seine Mutter ruft in der Schule an. Sie muss eine Entschuldigung schreiben.

Das ist der Text _____ auf Seite _____ .

**b) Suchen Sie einen Text im Kursbuch:
Machen Sie ein Rätsel wie in a).**

> *Vorschläge*
> *Seite* 33, 43,
> 48, 51, 60, 70
> *oder* 72.

Schon fertig? Zwischenstation B: Meine Zungenbrecher.

**Welche Wörter auf Deutsch sind für Sie
schwer zu sprechen?
Notieren Sie fünf Wörter.**

Lernstation 4: Wie haben Sie mit *Ja genau* gearbeitet?
Malen Sie Ihre Hand und schreiben Sie an die Finger: *Einheit, Seite, Aufgabe, welcher Text,*
welcher Satz **oder** *welches Wort*?

Das war wichtig:

Das habe ich schon gewusst: _____

Das war schwierig: _____

Das war super: _____

Das war zu wenig / zu kurz:

_____

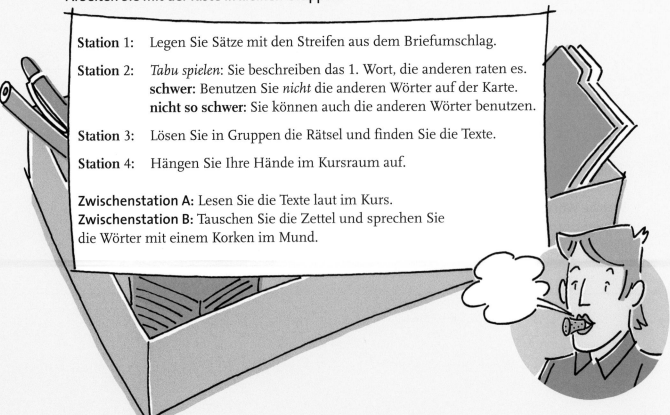

Runde 2: Auspacken.

Arbeiten Sie mit der Kiste in kleinen Gruppen.

Station 1:   Legen Sie Sätze mit den Streifen aus dem Briefumschlag.

Station 2:   *Tabu spielen:* Sie beschreiben das 1. Wort, die anderen raten es.
schwer: Benutzen Sie *nicht* die anderen Wörter auf der Karte.
nicht so schwer: Sie können auch die anderen Wörter benutzen.

Station 3:   Lösen Sie in Gruppen die Rätsel und finden Sie die Texte.

Station 4:   Hängen Sie Ihre Hände im Kursraum auf.

Zwischenstation A: Lesen Sie die Texte laut im Kurs.
Zwischenstation B: Tauschen Sie die Zettel und sprechen Sie
die Wörter mit einem Korken im Mund.

Grammatik kompakt

Verben im Präsens

Regelmäßige Verben

Infinitiv		**lachen**
Singular	ich	lache
	du	lachst
	er/sie/es	lacht
Plural	wir	lachen
	ihr	lacht
	sie/Sie	lachen

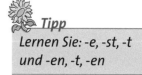

Tipp
Lernen Sie: -e, -st, -t
und -en, -t, -en

So funktionieren sehr viele Verben und auch alle Verben auf -ieren – zum Beispiel telefonieren.

Nur ein bisschen anders:

1. du arbeitest, er/sie/es arbeitet → mit „e"
   bei Infinitiv auf -ten (wie bei **antworten, arbeiten, bedeuten**)
2. du heißt, du putzt, du vergisst → ohne „s"
   bei Infinitiv auf -ßen, -ssen, -zen (wie bei **heißen, putzen, vergessen, vermissen**)

So kann man es leichter aussprechen!

Verben mit Vokalwechsel

Infinitiv		**sprechen** e → i	**lesen** e → ie	**fahren** a → ä
Singular	ich	spreche	lese	fahre
	du	sprichst	liest	fährst
	er/sie/es	spricht	liest	fährt
Plural	wir	sprechen	lesen	fahren
	ihr	sprecht	lest	fahrt
	sie/Sie	sprechen	lesen	fahren

essen e → i	**sehen** e → ie	**laufen** a → ä
ich esse, du isst	ich sehe, du siehst	ich laufe, du läufst
geben e → i		**raten** a → ä
ich gebe, du gibst		ich rate, du rätst
helfen e → i		**schlafen** a → ä
ich helfe, du hilfst		ich schlafe, du schläfst
		waschen a → ä
		ich wasche, du wäschst

schla|fen **schläfst**, schlief, geschlafen
(itr.; hat); **1.** *sich im Zustand des
Schlafes befinden:* im B...
schlafen: schlafe...

Tipp
*Lernen Sie diese Verben immer
mit 1. und 2. Person!*

Grammatik kompakt

Unregelmäßige Verben

Infinitiv		**sein**	**haben**	**mögen**	**möchten**	**nehmen**	**wissen**
Singular	ich	bin	habe	mag	möchte	nehme	weiß
	du	bist	hast	magst	möchtest	nimmst	weißt
	er/sie/es	ist	hat	mag	möchte	nimmt	weiß
Plural	wir	sind	haben	mögen	möchten	nehmen	wissen
	ihr	seid	habt	mögt	möchtet	nehmt	wisst
	sie/Sie	sind	haben	mögen	möchten	nehmen	wissen

Modalverben

Infinitiv		**können**	**müssen**
Singular	ich	kann	muss
	du	kannst	musst
	er/sie/es	kann	muss
Plural	wir	können	müssen
	ihr	könnt	müsst
	sie/Sie	können	müssen

Ich	**muss**	im Bett	bleiben.
Ich	**kann**	im Bett	bleiben.
Ich	**kann**	heute nicht	telefonieren.
Ich	**muss**	morgen	arbeiten.

Trennbare Verben

Ich muss nicht abwaschen.

Ich muss um sechs Uhr aufstehen.

Wir müssen einkaufen.

Musst du immer fernsehen?

Mein Mann	wäscht	gern	ab.
Und wann	stehst	du	auf?
Was	kaufst	du	ein?
Du	siehst	zu viel	fern.

Verben in der Vergangenheit

sein im Präteritum

Infinitiv		**sein**
Singular	ich	war
	du	warst
	er/sie/es	war
Plural	wir	waren
	ihr	wart
	sie/Sie	waren

Warst *du schon mal in Hamburg?*

Nein, aber ich **war** *schon in Wien!*

Perfekt

Die meisten Verben bilden das Perfekt mit **haben**.

	haben konjugiert		*Partizip*
Ich	habe	gestern Spaghetti	gekocht.
Du	hast	gestern	eingekauft.
Es	hat	gestern	geregnet.
Wir	haben	1980 in Stuttgart	gewohnt.
Ihr	habt	in Bern viel	gesehen.
Sie	haben	gestern	telefoniert.

Gestern
habe ich ...

Verben der Bewegung und Veränderung bilden das Perfekt mit **sein**.

	sein konjugiert		*Partizip*
Ich	bin	um sechs Uhr	aufgestanden.
Du	bist	gestern spät ins Bett	gegangen.
Sie	ist	gestern nicht zur Arbeit	gegangen.
Wir	sind	gestern spät	aufgewacht.
Ihr	seid	gestern früh	aufgestanden.
Sie	sind	gestern zu Hause	geblieben.

Partizip regelmäßig
kochen – er kocht – er hat **ge**kocht
lernen – sie lernt – sie hat **ge**lernt

Partizip regelmäßig bei trennbaren Verben
einkaufen – er kauft ein – er hat ein**ge**kauft
aufwachen – sie wacht auf – sie ist auf**ge**wacht

Partizip von Verben auf -ieren
telefonieren – er telefoniert – er hat **telefoniert**

Partizip unregelmäßig
gehen – er geht – er ist **gegangen**
sehen – sie sieht – sie hat **gesehen**

Partizip unregelmäßig bei trennbaren Verben
aufstehen – sie steht auf – sie ist auf**gestanden**

Tipps zum Perfekt
1. Lernen Sie die Verben immer mit Perfekt:
hören: er hört, hat gehört
2. Das Perfekt funktioniert meistens mit **haben**.
3. Lernen Sie die Verben mit **sein**: *fahren, gehen, bleiben.*

Grammatik kompakt

Nomen und Artikel

Artikelwörter

	▨	✕	✿	*Plural*
bestimmter Artikel	**der**	**das**	**die**	**die**
unbestimmter Artikel	**ein**	**ein**	**eine**	**–**
verneinter Artikel	**kein**	**kein**	**keine**	**keine**
Possessivartikel	**mein**	**mein**	**meine**	**meine**

▨ } Stift ✕ } Buch ✿ } Uhr Plural } Stifte / Bücher / Uhren

> 🌻 **Tipp**
> *Im Plural ist der bestimmte Artikel immer **die**!*

> 🌻 **Tipp**
> *Nomen immer mit Artikel und Pluralform lernen. Immer zwei oder drei Wörter zusammen lernen.*
>
> *die Tür und*
> *das Fenster*
> *Türen und Fenster*

Singular und Plural

die Kartoffel	**die** Kartoffeln	-(e)n
die Verkäuferin	**die** Verkäuferinnen	-nen
das Brot	**die** Brote	-e
der Kopf	**die** Köpfe	"-e
das Kind	**die** Kinder	-er
der Mann	**die** Männer	"-er
der Lehrer	**die** Lehrer	-
der Apfel	**die** Äpfel	"-
das Auto	**die** Autos	-s

Nominativ und Akkusativ

	▨ *der*	✕ *das*	✿ *die*
Nominativ			
Hier ist	**der** / **ein** / **kein** } Stadtplan,	**das** / **ein** / **kein** } Buch und	**die** / **eine** / **keine** } Tasche.
Akkusativ			
Sie braucht	**den** / **einen** / **keinen** } Stadtplan,	**das** / **ein** / **kein** } Buch und	**die** / **eine** / **keine** } Tasche.

> 🌻 **Tipp**
> *Im Akkusativ müssen Sie nur die maskuline Form auf -en lernen.*

Verben mit Akkusativ:
brauchen, haben, kaufen, nehmen, sehen, suchen

Ja!
genau

Deutsch als Fremdsprache
Lösungen

A1
Band 1

Cornelsen

1 Ich und du

4

Markus fotografiert Franz? – Markus fotografiert Franz.

5

Guten Tag, Frau ... Äh, wie heißen Sie? ↗
Ich heiße Ismi Kasa. ↘
Wie bitte? ↗
Ismi Kasa. ↘
Frau Kasa, aha. →   Kommen Sie aus Bonn? ↗
Ich wohne in Bonn. →   Aber ich komme aus der Türkei. ↘   Und Sie? ↗
Ich komme aus Russland. →   Ich bin Pavel Malon. ↘
Und wo wohnen Sie? ↗
Ich wohne auch in Bonn. ↘

12

Marco: 697 44 361   Sebastian: 0172-77655482
Sonja: 0171 443 872 96   Nihan: 089 878 44 323

SCHON FERTIG
16

14
1E – 2D – 3F – 4B – 5C – 6A

17
lerne – wohne – komme
lernst – wohnst – kommst – bist

18
a) Paul und Maria kochen gern.
b) singe – schwimme – koche
singst – schwimmst – kochst
singt – schwimmt – kocht

EXTRA
Wer spricht: Freunde

2 Im Deutschkurs

1

ein CD-Player 6 und eine CD
ein Wörterbuch 10 und ein Heft 21
eine Tasche 19 und ein Handy 20
eine Pflanze 18 und ein Papierkorb 14
ein Overheadprojektor 16 und ein Poster 1

ein Tisch 5 und ein Stuhl 13
eine Tafel 9 und ein Schwamm 15
ein Bleistift 12 und ein Radiergummi 11
ein Fernseher 8 und ein DVD-Player 7
ein Fenster 3 und eine Tür 17
ein Ball 2 und ein Spiel 4

3

Vorschlag:
hören: CD-Player, CD, Fernseher, Handy
schreiben: Bleistift, Heft, Radiergummi, Poster, Tafel, Schwamm
sehen: Overheadprojektor, Poster, Tafel, Fernseher, DVD-Player, DVD
lesen: Wörterbuch, Heft, Handy, Poster, Tafel, Spiel

4
zwei Frauen und ein Mann

9

ein Stift   **kein** Buch
eine Tür   **keine** Tür

12

der: CD-Player, Papierkorb, Overheadprojektor, Tisch, Stuhl, Schwamm, Bleistift, Radiergummi, Fernseher, DVD-Player, Ball
das: Wörterbuch, Heft, Handy, Poster, Fenster, Spiel
die: CD, Tasche, Pflanze, Tafel, Tür

14

a) die Tasche – der Papierkorb – die Pflanze – das Poster – die Tafel – der Bleistift – der Radiergummi – der Fernseher – das Fenster
b) 1. Silbe: Tasche, Pflanze, Poster, Tafel, Bleistift, Fernseher, Fenster
2. Silbe: Papierkorb, Radiergummi

15

Ich höre Musik: B   Ich lese viel: A
Ich spreche Deutsch: D   Ich weiß alles: C

16

fragst, seid, sind, macht, machen, lesen, hören, singen, verstehe, ist, spricht, wiederholt, wissen, verstehen, sprechen, weißt, schreibe, lese

17

ich		lese	
du			weißt
er/sie/es	spricht		weißt
wir	sprechen	lesen	
sie			wissen

19

b)
Ich bin Maria. / Ich lerne Deutsch. / Also, ich komme aus Griechenland.

20

a)
Wer sind Sie? – Sind Sie Maria? – Ich bin Maria.
Was machen Sie hier? – Lernen Sie Deutsch? – Ich lerne Deutsch.
Woher kommen Sie? – Kommen Sie aus Griechenland? – Ich komme aus Griechenland.

3 Das bin ich

2

Vorname(n) und Name, Geschlecht, Wohnort, Geburtstag und Geburtsort, Größe, Staatsangehörigkeit, Augenfarbe

4

Richtig: 1 und 3

5

Alter: 49 Jahre, wohnt in München, ist geboren in Stuttgart, hat drei Kinder

SCHON FERTIG
Vorschläge:
1. Ich bin Martin Bauer und bin 49 Jahre alt. Ich wohne in München, aber ich bin in Stuttgart geboren. Ich bin geschieden und habe drei Kinder. Ich bin Deutschlehrer.

2. Herr Bauer ist 49 Jahre alt. Er ist in Stuttgart geboren und wohnt in München. Er ist geschieden und hat drei Kinder. Einen Sohn und zwei Töchter. Er ist Deutschlehrer.

8

1C – 2A – 3D – 4E – 5B

9

Hier ist **der** Stadtplan. Hast du **den** Stadtplan?

Hier ist das Ticket. Hast du **das** Ticket?
Hier ist **die** Adresse. Hast du **die** Adresse?

11

einen / keinen   ein / kein   eine / keine   einen

13

Ich brauche **einen** Führerschein. – Nein, ich brauche **keinen** Führerschein.
Ich brauche **ein** Auto. – Nein, ich brauche **kein** Auto.
Ich brauche **eine** Kreditkarte. – Nein, ich brauche **keine** Kreditkarte.

14

Vorschläge:
Ich brauche ein Ticket. Ich brauche einen Stadtplan. Ich brauche eine Tasche. Ich brauche keine Kreditkarte, aber ich brauche eine EC-Karte. Ich brauche einen Personalausweis, aber ich brauche keinen Pass. Ich brauche (k)ein Handy.

SCHON FERTIG
Vorschläge:
Wir haben keine Pflanze. Wir brauchen einen CD-Player. Wir haben einen Fernseher, aber wir haben keinen DVD-Player. Wir brauchen einen Kühlschrank und einen Spiegel.

15

a) Tanja: Anzeige 3, Alexander: Anzeige 1, Anna: Anzeige 2, Deniz: Anzeige 5

b) Tanja ist zuverlässig. Sie ist nicht so flexibel. Alexander ist schnell. Er ist nicht verheiratet. Anna ist freundlich. Deniz ist sportlich und immer pünktlich.

16

2 nicht / 1 Verb / 3 Adjektiv

18

a) Foto A

b) Er war in Brasilien und China. Er war in Australien und in Neuseeland. Er war in Marokko und in Südafrika. Er war in Israel. Er war im Iran.

EXTRA
Small Talk
1. ☺   2. ☹   3. ☹   4. ☺   5. ☹   6. ☺   7. ☹

4 Auf dem Markt

1

Obst: die Kiwi, die Erdbeere, die Melone, die Zitrone, die Kirsche, der Apfel ...
Gemüse: die Kartoffel, der Knoblauch, die Aubergine, die Zwiebel, der Salat, der Pilz ...
Flohmarkt: das Glas, der Pullover, die Vase, die Kette, der Topf, das Kleid, die Tasche, der Drucker ...

2

Pavel kauft einen Fotoapparat.

4

1. ein Kilo Bananen   2. ein Pfund Kirschen
3. vier Zitronen   4. eine Schale Erdbeeren

5

a) 12 Tomaten – 8 Salatköpfe – 20 Äpfel –
18 Kartoffeln – 3 Melonen – 13 Kiwis –
2 Verkäuferinnen

b) 12 Tomaten – eine Tomate
8 Salatköpfe – ein Salat
20 Äpfel – ein Apfel
18 Kartoffeln – eine Kartoffel
3 Melonen – eine Melone
13 Kiwis – eine Kiwi

c) 2. Zucchini   3. Gläser   4. Verkäufer
5. Töpfe   6. Zwiebeln   7. Kirschen   8. Pullover

6

-: Zucchini, Pullover, Verkäufer, Äpfel
-n: Zwiebeln, Tomaten, Kartoffeln, Melonen,
   Kirschen
-e: Pilze
-s: Kiwis
-(n)nen: Verkäuferinnen
"-e: Töpfe; Salatköpfe
"-er: Gläser

8

c) Ich kaufe einen Apfel und esse **ihn** sofort.
Ich kaufe ein Buch und lese **es** sofort.
Ich kaufe eine CD und höre **sie** sofort.

10

a) A: Text 2   B: Text 1

b) 1. 338   2. 47   3. über 7 Mio. Tonnen
4. 7,4 Mio.

13

a) Maria bekommt zwei Zwiebeln.

b) Sie braucht Knoblauch für ein Zaziki.

15

1. C   2. A   3. B

5 Meine Familie und ich

1

1C   2D   3A   4B

2

1B   2D   3A   4C

3

Christoph Schneider spricht.

4

b) 1. Mutter   2. Tochter   3. Großeltern
4. Bruder   5. Tante   7. Nichte

8

b) *Vergleichen Sie Grammatik kompakt, Seite 127*

12

Ach, Sabine. Meine Familie nervt! Du weißt ja:
Peter und ich fahren im August nach Österreich.
Wir sehen dort viele Freunde und natürlich
unsere Familien. Das Problem: Ich mag meinen
Onkel Xaver und seine Frau, Tante Elisabeth,
nicht. Sie sind schrecklich. Und ihre Kinder sind
so laut! Nein, ich besuche meinen Onkel nicht!
Jetzt ist meine Mutter sauer. Onkel Xaver ist ihr
Bruder. Sie sagt, ich muss meinen Onkel und
seine Familie besuchen. Und jetzt?

15

Vorschläge:
Elli sucht ihre Tasche. Sie sucht ihren Bleistift.
Sie sucht ihr Handy. Sie sucht ihre Vase.
Sie sucht ihr Kleid. Sie sucht ihr Wörterbuch.
Sie sucht ihren CD-Player. Sie sucht ihren
Radiergummi.

16

a) Sascha ist der Sohn von Frau Fischer.

b) 1. richtig   2. falsch   3. falsch   4. falsch
5. richtig

17

mein Sohn Sascha ist **krank**. Er **kann** heute nicht zur Schule **gehen**.
Frau Maierbeck ist die Lehrerin von Sascha.

19

Vorschlag:
Ich muss eine Entschuldigung schreiben. Ich muss zum Arzt gehen. Ich muss Medikamente und Comics kaufen. Ich muss Tee kochen und Fieber messen.

20

1. Nein, ich kann heute nicht lernen.
2. Nein, ich kann heute nicht singen.
3. Nein ich kann heute nicht tanzen.
4. Nein, ich kann heute nicht kochen.
5. Nein, ich kann heute nicht putzen.

22

Heute haben wir frei. Wir **müssen** nicht ins Büro und wir **müssen** nicht arbeiten. Wir **können** im Bett bleiben. Wir **können** lesen oder fernsehen. Wir **können** zusammen kochen.

6 Viel Zeit im Jahr

1

Ein Jahr hat **12** Monate, **52** Wochen oder **365** Tage. Ein Monat hat **31**, **30** oder auch **28** Tage. Eine Woche hat **7** Tage. Ein Tag hat **24** Stunden. Eine Stunde hat **60** Minuten.

2

3 Frühling   1 Sommer   4 Herbst
2 Winter

3

1B   2F   3G   4H   5C   6E   7I   8A   9J   10D

4

1D   2A   3B   4C

7

a) Text 1: Es hat immer nur geregnet.
Text 2: Es hat viel geschneit, die Sonne hat gelacht und der Himmel war blau.
Text 3: Draußen hat es geblitzt und gedonnert.

c) und d)

haben + ge + ...t:
kaufen – gekauft   brauchen – gebraucht
arbeiten – gearbeitet   schneien – geschneit
lachen – gelacht   blitzen – geblitzt
donnern – gedonnert   machen – gemacht
hören – gehört   rauchen – geraucht

haben + ge + ...en: sehen – gesehen

haben + ...t: fotografieren – fotografiert

sein + ge... + en: gehen – gegangen
bleiben – geblieben
kommen – gekommen

e)

Das Perfekt bildet man mit einer Form von **haben** oder **sein** und dem Partizip. Das **Partizip** steht am Satzende.

9

... Ich bin nach Berlin gefahren. Es hat geschneit. Ich bin viel spazieren gegangen und habe viele Fotos gemacht. Ich habe Freunde gesehen und wir haben zusammen gekocht. Wir haben viel gelacht.

12

1. Berlin: Regen   2. Frankfurt: bewölkt
3. Wien: sonnig   4. Innsbruck: Regen
5. Zürich: Schnee

13

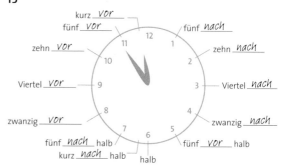

kurz *vor*
fünf *vor*   fünf *nach*
zehn *vor*   zehn *nach*
Viertel *vor*   Viertel *nach*
zwanzig *vor*   zwanzig *nach*
fünf *nach* halb   fünf *vor* halb
kurz *nach* halb
halb

15

halb fünf – sechzehn Uhr dreißig
Viertel nach acht – zwanzig Uhr fünfzehn
kurz nach zehn – zweiundzwanzig Uhr drei
zwölf Uhr – null Uhr

16

20:00 = Text 5   12:18 = Text 1   17:00 = Text 3
19:30 = Text 2   15:00 = Text 6

17

06:15: Viertel nach sechs / sechs Uhr fünfzehn
18:27: kurz vor halb sieben /
      18 Uhr siebenundzwanzig
06:30: halb sieben / sechs Uhr dreißig
18:45: Viertel vor sieben / achtzehn Uhr
      fünfundvierzig

20

1. Um acht Uhr.   2. Um 13:34 Uhr.
3. Um Viertel vor zwei.

SCHON FERTIG

1. 3 2 5 1 4

7 Von früh bis spät

1

1C 2D 3A 4B

2

1. Um sieben Uhr.   2. Ein Brötchen.
3. Um acht Uhr.   4. Zähne putzen

3

A: (…) und die Wäsche gemacht.
B: Ich bin um sechs aufgestanden.
C: (…) meine Haare kämmen.

6

Vorschläge:
Kauffrau: Büro, halbtags arbeiten, Computer
anmachen, E-Mails lesen, telefonieren, Kollegen,
Besprechungstermin, Feierabend
Haushaltshilfe: „Mädchen für alles", abwaschen,
bügeln, kochen, Kinder abholen, einkaufen,
Mittagessen kochen
Altenpfleger: Patienten, waschen, sie anziehen,
Zeit für Spiele haben

7

Vorschlag:
Zuerst fährt sie ins Büro. Dann macht sie den
Computer an. Danach liest sie ihre E-Mails.
Dann telefoniert sie mit Kollegen in Singapur.
Danach hat sie einen Besprechungstermin.
Um eins hört sie auf – Feierabend!

9

Sie fängt um sieben an. Sie arbeitet sechs Stunden für eine Familie als „Mädchen für alles".
Sie wäscht ab, bügelt, kauft ein, holt die Kinder
ab und kocht das Mittagessen. Um 14 Uhr ist sie
fertig.

SCHON FERTIG

Vorschlag:
Haushaltshilfe gesucht
täglich von 9:00–15:00 Uhr.
Kochen, Wäsche machen, Kinder abholen
Sind Sie pünktlich und zuverlässig?
Dann rufen Sie an: 622 34 56

10

a) A Irene Große   B Claudia Schmidt

b) aufwachen: Ich bin aufgewacht – anrufen: er
hat angerufen – aufstehen: ich bin aufgestanden –
einkaufen: ich habe eingekauft

SCHON FERTIG

1. Sie erst um neun Uhr aufgewacht.
2. Ihr Chef hat angerufen.
3. Heute ist sie erst abends zur Arbeit gegangen.
4. Um zwei Uhr nachts war sie immer noch da
und hat gearbeitet.

12

a) Am zweiten August.

15

a) Ein Elefant.

b) *Vorschlag:*
Morgens stehe ich um sieben auf und frühstücke. Ich trinke Tee und esse ein Brötchen.
Dann gehe ich zur Schule. Mittags kaufe ich ein
und danach koche ich. Nachmittags lerne ich
Deutsch und abends gehe ich joggen. Danach
sehe ich fern oder treffe Freunde. Um elf Uhr
gehe ich ins Bett.

16

a) 1. heiß 2. Haus 3. ihr 4. Essen

Lösungen zu den Übungen

Übungen 1

ZU 1

Hallo. Ich **heiße** Priya. – Das **ist** Priya.
Ich **komme** aus Indien.

ZU 2

1) Guten **Tag**. Wie **heißt** du?
Ich **heiße** Alina.
Schöner **Name**.
Danke. Und **wie heißt** du?
Ich heiße Mehmed Paydas.
Mehmed, woher **kommst du**?
Ich komme **aus der Türkei**.

2) *Kommen:* Guten Morgen. Grüezi. Grüß Gott.
Gehen: Auf Wiedersehen. Ade. Gute Nacht.

3) D B A C

ZU 4 UND 5

1 Das ist Max. ↘   2. Das ist Max? ↗   3. Das ist
äthiopisch? ↗   4. Das ist äthiopisch. ↘
5. Pavel fotografiert Maria. ↘   6. Pavel fotografiert Maria? ↗

ZU 7

1) 1. **Ba**sel 2. **Wi**en 3. **Ha**mburg 4. Frank**fur**t
5. **Bern** 6. **Lei**pzig 7. **Graz** 8. **Bo**nn 9. **Zug**
4) 1. Wie heißen Sie?   2. Ist das arabisch?
3. Ich bin aus Russland.   4. Ich komme aus der
Türkei.   5. Ich wohne auch in Berlin.
6. Woher kommen Sie?

ZU 11

1) vierundneunzig   einundzwanzig   siebzehn
fünfundsiebzig   zweiundsechzig   sechsund-
vierzig   neunundachtzig   dreiundfünfzig

2)

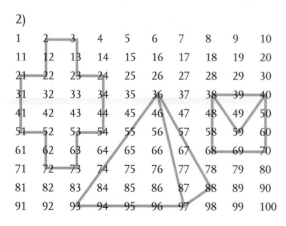

3) 2. Vierunddreißig plus fünfundfünfzig ist neununachtzig.

3. Elf plus zwölf ist dreiundzwanzig.
4. Dreiundzwanzig plus neunundvierzig ist zweiundsiebzig.
5. Achtzig plus siebzehn ist siebenundneunzig.
6. Fünfzehn plus einundsechzig ist sechsund-siebzig.

ZU 12

b

ZU 14

1. Sie   2. Sie   3. Du

ZU 15

1) *Vorschlag:*
Nein, ich heiße Maria.   2. Ja, ich lerne
Deutsch.   3. Nein, ich komme aus Griechenland.   4. Nein, ich wohne in Bonn.   5. Ja, ich
verstehe Spanisch.

2) 2. Lernen Sie Deutsch?   3. Kommen Sie aus
Italien?   4. Wohnen Sie in Berlin?   5.Verste-
hen Sie Spanisch?

ZU 18

1. Er heißt Mehmed. Er kommt aus der Türkei.
Er wohnt in München. Er lernt Deutsch.
2. Sie heißt Tatjana. Sie kommt aus Russland.
Sie wohnt in Wien. Sie singt gern.

ZU 20

Hallo, ich heiße Maria. Ich komme aus
Griechenland. Ich wohne in Bonn. Ich lerne
Deutsch. Ich schwimme gern.

ZU 22

2. Wer malt? Anna malt.   3. Wer kocht? Urs
und Tanja kochen.   4. Wer singt? Ali, Ana und
Bela singen.

PLUS

Vorschlag:
Wie heißt die Lehrerin? Ich singe gern. Tamara
kommt aus Russland. Wer ist Ahmed? Du lernst
gern.

ZU 23

1) 1. Woher kommst du / kommen Sie?
2. Wo wohnst du / wohnen Sie?

3. Wer singt gern?
4. Wie heißt du?

2) *Vorschlag:*
Ich heiße Andrea. Ich komme aus Italien und
ich wohne in Berlin. Was mache ich gern? Ich
lache und schreibe gern. Ich koche auch gern.
Aber joggen mag ich nicht.

Übungen 2

Zu 1
1. eine Pflanze   2. eine Tafel   3. ein Buch
4. ein Stuhl   5. ein CD-Player   6. ein Bleistift
7. ein Heft   8. ein Tisch,

Zu 2
1) ein Fernseher, ein Schwamm, ein Heft,
ein Tisch, eine Tür, ein Papierkorb, ein Poster

2) 1. Tafel – Fenster – Handy – Tasche
2. Bleistift – Radiergummi
3. Ich glaube, das heißt Papierkorb.

Zu 3
1. das Fenster   2. die Tasche   3. die Musik
4. die Pflanze

Zu 4
Entschuldigung, ich habe eine Frage.
Ja, bitte?
Wie heißt das auf Deutsch?
Das ist ein Beamer.
Ich meine auf Deutsch, ich verstehe auch
Deutsch.
Ja, das heißt auf Deutsch Beamer. B-E-A-M-E-R.
Das Wort ist englisch, aber der Beamer kommt
aus Deutschland. Hier: Made in Germany.

Zu 5
4   6   1   9   11   2   8   7   10   3   5

Zu 6
keine Tür – eine Tür   kein Papierkorb –
ein Papierkorb   ein Stuhl – kein Stuhl

Zu 8
2. Nein, das ist kein DVD-Player. Das ist ein
Fernseher.   3. Nein, das ist kein Spiel. Das ist
ein Ball   4. Nein, das ist kein Telefonbuch.
Das ist ein Wörterbuch.   5. Nein, das ist kein

Buchstabe. Das ist eine Zahl.   6. Nein, das ist
kein Poster. Das ist ein Foto.

Zu 9
A: kein Fenster, keine Pflanze   B: kein Heft,
keine Tasche   A und B: eine Tür, ein Schrank,
ein Overheadprojektor, ein Tisch, ein Stuhl,
ein Papierkorb

Plus
Vorschlag:
Auf Bild A ist eine Tasche, auf Bild B ist keine
Tasche. Auf Bild B ist ein Fenster, auf Bild A ist
kein Fenster. Auf Bild B ist eine Pflanze, auf Bild
A ist keine Pflanze.

Zu 12
der Ball – das Eis – die Sprache – das Alphabet –
das Buch – der Schrank – die Tasche – der Stuhl –
der Stift – der Kurs – der Name – die Pflanze

Zu 14
Türkisch – Chinesisch – Italienisch – verstehen
Poster – DVD – Fernseher – sehen
Musik – CD – Handy – hören

Zu 16
Hallo, Tanja,
was machst du gerade?
Mir geht es gut. Ich lerne Deutsch. Wir sind im
Deutschkurs neun Frauen, sieben Männer und
ein Deutschlehrer, also 17. Wir reden Deutsch,
lesen, buchstabieren und schreiben. Ich verstehe
nicht alles. Dann lache ich oder ich frage. Emilia
spricht sehr gut und weiß viel. Sie liest gern.
Ich nicht. Aber ich koche gern, heute Spaghetti.
Emilia kommt. Kommst du auch? Ich koche gut.
Gruß, Anna

zu 17
1) *Vergleichen Sie Grammatik kompakt, Seite 123*

2) 1. Du verstehst und ich **verstehe**. Er **versteht**,
sie **versteht**. Wir verstehen und ihr versteht. Sie
verstehen. Und was?
2. Du **siehst** und ich sehe. Er sieht, sie **sieht**.
Wir sehen und ihr seht. Sie **sehen**. Und was?

Plus
Du bist und ich bin. Er ist und sie ist. Wir sind
und ihr seid. Sie sind. Und was?

1) 2c   3e   4f   5d   6a

2) *W-Frage:* 3.   4.   5.   *Ja/Nein-Frage:* 1.   2.   6.

3) 1. Das verstehe ich nicht.   2. Ist das ein
Spiel?   3. Ich habe eine Frage.

Zu 21

1. Was machst du?   2. Wo bist du?
3. Wohnst du in Zürich?   4. Fotografierst du
gut?   5. Wie bitte? Ich verstehe nicht.

Prüfungsvorbereitung
B

Übungen 3

Zu 2

1) Richtig: Größe 175 cm und Geburtsort:
Warschau

2) Sie hat zwei Kinder.

Prüfungsvorbereitung
Vorname: Dagmar   Nachname: Berger
Geburtsdatum: 16. 11. 1970
Geburtsort: Bonn
Familienstand: verheiratet
Staatsangehörigkeit: Deutsch
Straße: Lessingstr. 32
PLZ / Wohnort: 50670 Köln
Telefonnummer: 0221 69 77 34
E-Mail: dberger@online.de

Zu 3

1. Haben Sie Kinder?   – Ja, eins.
   Einen Sohn oder
   eine Tochter?   – Einen Sohn.
2. Haben Sie Kinder?   – Oh ja, ich habe Kinder.
   Wie viele Kinder
   haben Sie?   – Ich habe fünf Kinder,
                         drei Söhne und zwei
                         Töchter.

Zu 4

1. Wann   2. Woher   3. Wo   4. Was   5. Wie
Lösung: Günther Jauch

Zu 5

1. Claudia   2. In München.   3. Sie ist 57 Jahre
alt.   4. Nein, sie ist verheiratet.   5. Goethestr. 28, 53115 Bonn

Zu 6

1. Wer spricht da?   2. Wie geht es dir?   3. Wo
bist du?   4. Was macht ihr?   5. Wann kommst
du?

Zu 7

Name?: Wie heißen Sie?
Alter?: Wie alt sind Sie? / Wann sind Sie gebo-
ren?
Kinder?: Haben Sie Kinder?
Wohnort?: Wo wohnen Sie?
Geburtsort?: Wo sind Sie geboren?

Zu 9

2. Ich suche den Schlüssel.   3. Ich suche das
Flugticket.   4. Ich suche den Führerschein.
5. Ich suche die Adresse.   6. Ich suche den
Pass.   7. Ich suche den Stadtplan.   8. Ich suche
den Bleistift.   9. Ich suche das Wörterbuch.
10. Ich suche den MP3-Player.

Zu 10

1. Schnell, siehst du **die** Butter? – Bitte, hier ist
die Butter.

2. Ich brauche **den** Zucker. – Ja, hier ist **der**
Zucker.

3. Und hast du auch **das** Salz?

Zu 11

2. ein   3. einen, einen   4. einen   5. eine

Zu 12

Habt ihr einen Computer? Einen Computer?
Nein, wir brauchen keinen Computer.
Habt ihr ein Auto? Ein Auto? Nein, wir brauchen
kein Auto.
Habt ihr ein Handy? Ein Handy? Nein, wir
brauchen kein Handy.
Habt ihr einen Stadtplan? Einen Stadtplan?
Nein, wir brauchen keinen Stadtplan.
Habt ihr ein Telefonbuch? Ein Telefonbuch?
Nein, wir brauchen kein Telefonbuch.
Habt ihr einen DVD-Player? Einen DVD-Player?
Nein, wir brauchen keinen DVD-Player.
Habt ihr einen Bibliotheksausweis? Einen
Bibliotheksausweis? Nein, wir brauchen keinen
Bibliotheksausweis.
Habt ihr ein Haus? Ein Haus? Nein, wir
brauchen kein Haus.

Zu 14

1. Er sucht eine Telefonnummer.   2. Du liest ein Buch.   3. Sie brauchen eine Tasche.   4. Er braucht einen Freund.

Zu 15

1) 2. schnell   3. intelligent   4. pünktlich   5. freundlich   6. sportlich

Zu 17

Sie singt nicht gern. – Sie fotografiert nicht gern. – Sie liest nicht gern. – Sie schreibt nicht gern. – Sie joggt nicht gern.

Zu 19

1. Wart – waren   2. Warst – war   3. War – war   4. Waren – war

Zu 20

1. machen   2. putzen   3. können   4. trinken   5. sprechen   6. kochen

Übungen 4

Zu 1

Vorschlag:

Supermarkt – das Obst: die Erdbeere, die Kiwi, die Zitrone, die Kirsche, die Melone, der Apfel, das Gemüse: die Kartoffel, die Tomate, der Knoblauch, die Aubergine, die Zwiebel, der Salat, die Zucchini, ...
Im Kurs: die Tafel, die Sprache lernen, der Text, das Heft, der Bleistift, das Wörterbuch, die CD ...
Flohmarkt: der Pullover, das Buch, die Vase, das Glas, die Tasche, das Kleid ...
Pass: der Name, der Wohnort, die Kinder, die Nationalität, das Land, die Augenfarbe ...

Zu 3

1) 1. Wie viel kostet **die Tasche**?   2. Kann ich die DVD **mal sehen**?   3. Funktioniert der Drucker?   4. **Möchten Sie** noch etwas?

2) 1. Pavel   2. Einen Kühlschrank.   3. 50 Euro.   4. Vielleicht zehn Jahre alt.

3) 1. groß   2. neu   3. schön   4. teuer

Zu 4

1) Schale – Kilo/Pfund – Gramm – Euro – eine Tüte/einen Sack (A)

Zu 6

Vorschläge:

2. das Buch – die Bücher   3. das Handy – die Handys   4. der Ball – die Bälle   5. das Poster – die Poster   6. der Stift – die Stifte   7. die Tasche – die Taschen

Zu 7

2) Fürth – Furth im Wald   Nordkirchen – Nördlingen   Schwabach – Schwäbisch Hall

Zu 8

2) 2. Ich sehe sie.   3. Ich höre sie.   4. Ich brauche es.   5. Ich spreche ihn.   6. Ich lese ihn.

3) 1. Ich kaufe die Lampe.   2. Ich suche einen Tisch.   3. Brauchen Sie einen Drucker?   4. Kauft ihr den Kühlschrank?   5. Er sieht einen Freund.   6. Hast du eine Tasche?

Zu 10

1) dreihundertfünfundsiebzig

2) 2. vierhundertsiebenundsiebzigtausendsechshundert   3. zehntausendsechshundertundachtzehn   4. fünfmillionenundacht

Zu 11

1) Die Kartoffeln kosten ein Euro dreißig. – Die Tomaten kosten ein Euro achtzig. – Die Zitronen kosten zwei Euro sechzig. – Der Salat kostet fünfundneunzig Cent. – Eine Gurke kostet neunzig Cent.

2) 1. ein Euro achtzig   2. ein Euro sechzig   3. zwei Euro siebzig   4. drei Euro zwanzig

PRÜFUNGSVORBEREITUNG

1. Richtig   2. Falsch   3. Falsch   4. Richtig   5. Falsch

Übungen 5

Zu 2

1D   2C   3A   4B

Zu 5

1. ihre Großmutter   2. ihr Großvater   3. ihr Onkel   4. ihr Vater   5. ihre Mutter   6. ihre Schwester   7. ihr Bruder   8. ihr Mann   9. ihre Nichte   10. ihr Neffe   11. ihre Tochter   12. ihr Sohn

Michael Becker ist sein Schwager. Lisa ist seine Nichte. Linus ist sein Neffe.

Zu 7

1) *von links nach rechts:* Wolfgang, Peter, Britta, Helmut, Julia, Gertrud, Helga, Martina

2) 1c   2a   3a   4b   5c

Zu 8

Mein Mann und ich sind schon 40 Jahre verheiratet. Wir leben seit 30 Jahren in Bielefeld. **Unsere** Kinder sind schon groß. Sie leben nicht mehr hier. **Unser** Sohn lebt in Stuttgart. Er ist verheiratet; **seine** Frau ist sehr nett. **Unsere** Tochter ist nicht verheiratet. Aber sie hat zwei Kinder und wohnt in Frankfurt. **Ihre** Kinder sind acht und zehn Jahre alt. Ich habe keine Geschwister mehr. **Mein** Bruder und **meine** Schwester sind schon tot. **Mein** Mann hat noch zwei Geschwister. **Sein** Bruder lebt in Bukarest, **seine** Schwester lebt in Salzburg.

Zu 9

1) Das ist sein Computer. – Das ist sein Handy. – Das ist seine Uhr.

2) Ist das Ihr Fahrrad? – Nein, das ist nicht unser Fahrrad.
Ist das Ihr Ball? – Nein, das ist nicht unser Ball.
Ist das Ihr Hund? – Nein, das ist nicht unser Hund.
Ist das Ihr Kind? – Ja, das ist mein Kind.

Zu 11

1. 2   2. 3   3. 0   4. 4

Zu 13

1) Klaus besucht seinen Großvater, seine Mutter und seinen Vater, seine Schwester und seinen Bruder, seine Cousinen und seine Tante.

2) *Vorschläge:*
Ich kaufe dein Handy. – Du brauchst ihre Uhr.
Er verkauft seinen Fernseher. – Wir brauchen unser Auto. – Ihr verkauft euren Computer.
Sie kaufen mein Auto. – Du brauchst unseren Tisch.

Zu 14

Vorschläge:
Ich mag Melonen. Du magst keinen Knoblauch. Er mag Kaffee, sie mag Tee. Wir mögen Äpfel. Ihr mögt keine Erdbeeren. Sie mögen Fußball.

Zu 15

Herr Schneider! Wo ist meine Kreditkarte? Ich brauche meine Kreditkarte!
Herr Schneider! Wo ist mein Pass? Ich brauche meinen Pass!
Herr Schneider! Wo ist mein Handy? Ich brauche mein Handy!
Herr Schneider! Wo ist mein Schlüssel? Ich brauche meinen Schlüssel!
Herr Schneider! Wo ist meine Uhr? Ich brauche meine Uhr!
Herr Schneider! Wo ist meine Tasche? Ich brauche meine Tasche!
Herr Schneider! Wo ist mein Kaffee? Ich brauche meinen Kaffee!

Zu 16

1. Sascha kann nicht zur Schule gehen.   2. Er muss im Bett bleiben.   3. Seine Mutter muss eine Entschuldigung schreiben.   4. Seine Schwester kann die Entschuldigung mitnehmen.   5. Seine Mutter muss die Entschuldigung unterschreiben.

Zu 19

1. musst   2. muss   3. müssen   4. müsst
5. muss   6. müssen

Zu 21

1) 1. Kannst du gut singen?   2. Kannst du gut fotografieren?   3. Kannst du gut malen?
4. Kannst du gut schwimmen?   5. Kannst du gut kochen?   6. Kannst du gut bügeln?

Plus

Beispiel:
Ja, ich kann gut singen.   Nein, ich kann nicht gut singen.

2) 1. fotografieren   2. kann – singen / malen
3. können – lesen   4. kann – malen / singen

Zu 22

Wir müssen nicht **arbeiten**. Wir müssen nicht ins Büro. Wir können im **Bett bleiben**.

Wir können **lesen** oder **fernsehen**.

Übungen 6

Zu 1

zwei Minuten – eine Stund**e** – neunzig M**i**nu-ten – drei St**u**nden – e**i**n Tag – 48 **St**unden – vierzehn T**a**g**e** – neun Monat**e** – **e**lf Jahre – sechshun**d**ertdreißig Wochen
Lösungswort: Zeit ist Geld.

Zu 2

1: Januar (31), Februar, März (31), April,
Mai (31), Juni, Juli (31)
2: August (31), September, Oktober (31),
November, Dezember (31)

Zu 3

Vorschläge:
Im Frühling pflanze ich Blumen, im Sommer kaufe ich Erdbeeren, mache Marmelade und gehe schwimmen. Im Herbst backe ich einen Apfelkuchen, und sammle Blätter. Im Winter baue ich einen Schneemann.

Zu 5

1) 1E   2C   3B   4A   5D

2) A Es ist bewölkt.   B Es ist windig.
C Es regnet.   D Es schneit.   E Es ist warm/heiß und die Sonne scheint.

Zu 6

1) Im Juli ist es **kalt**. Es ist **Winter**. Aber es ist trocken. Im Sommer **regnet** es und manchmal **stürmt** es. Sommer, das heißt Dezember bis **März**: Es ist sehr **heiß** und schwül. Die Sonne **scheint** oft und das Wetter ist toll. Wir sind viel draußen: Wir schwimmen, grillen und essen **Erdbeeren**. Ich mag den **Sommer** sehr, beson-ders Weihnachten.

2) *Vorschlag:*
Im Juli ist es manchmal heiß. Es ist Sommer. Aber oft regnet es. Im Winter regnet es auch und manchmal schneit es. Winter, das heißt von Dezember bis Februar: Es ist sehr kalt. Es ist fast immer bewölkt und das Wetter ist schrecklich. Wir sind viel zu Hause: Wir trinken Tee und backen Plätzchen. Ich mag den Winter nicht.

Zu 7

Gestern war es windig. Gestern war es sonnig/hat die Sonne geschienen. Gestern hat es ge-schneit. Gestern hat es geregnet.

Zu 8

Letztes Jahr haben wir drei Monate in Heidel-berg einen Deutschkurs **gemacht**. Fast jeden Tag hat es **geregnet**, manchmal hat es auch **geblitzt** und **gedonnert**. Das Wetter war schrecklich! Wir sind zu Hause **geblieben** und haben zusammen **gelernt** und **gekocht**. Oft ist Besuch **gekommen** und ich habe viel **gelacht**. Das war super.

Zu 9

1. Ich habe bis 14 Uhr gearbeitet.   2. Ich habe ein Ticket gekauft.   3. Ich bin Zug gefahren und habe Musik gehört.   4. Ich habe die Alt-stadt gesehen.   5. Ich habe viel fotografiert.

Zu 12

1. a   2.b

Zu 16

Zu 17

16:45 Viertel vor fünf / sechzehn Uhr
       fünfundvierzig
17:40 zwanzig vor sechs / siebzehn Uhr vierzig
00:00 zwölf Uhr, Mitternacht / null Uhr
13:20 zwanzig nach eins / dreizehn Uhr zwanzig
20:10 zehn nach acht / zwanzig Uhr zehn
22:57 kurz vor elf / zweiundzwanzig Uhr sieben-undfünfzig

Zu 18

1. a und b   2. b und c   3. a und d

Zu 20

2) *Vorschlag:*
Um halb sieben habe ich Hausaufgaben ge-macht und um acht habe ich gekocht. Um neun habe ich Musik gehört. Dann, um zehn, habe ich telefoniert und ich habe viel gelacht.

3) 1. Um – um   2. im – im   3. Im – im – Im
4. um

Musterlösung:

Liebe Frau Meier,

gestern war ich nicht im Deutschkurs. Es hat viel geschneit und es war sehr kalt. Mein Auto ist nicht gefahren. Bitte entschuldigen Sie mein Fehlen.

Mit freundlichen Grüßen (+ *Unterschrift*)

Übungen 7

Zu 3
1. Zähne putzen   2. duschen   3. Haare kämmen   4. frühstücken / essen und trinken
5. putzen   6. Wäsche machen

Zu 5
1) Was macht sie zuerst? Zuerst duscht sie zehn Minuten und singt laut.   Und was macht sie dann? Dann frühstückt sie.   Was isst/frühstückt sie? Sie trinkt einen Kaffee und isst ein Croissant.   Was macht sie danach? Danach putzt sie die Zähne.   Wann geht sie zur Arbeit? Um 7:30 Uhr geht sie zur Arbeit.

Zu 6
1. spielen   2. singen   3. sprechen   4. anziehen
5. lesen

Zu 7
1) 3   2   6   4   5   1

2) Dann macht sie den Computer an. Danach kocht sie einen Kaffee. Dann kommt ihre Kollegin Sybille und sie sprechen über die Kinder. Danach ruft kocht sie ihre Tochter an.

Zu 8
2) anfangen – aufhören – anrufen – abholen – ankommen – einkaufen

Zu 9
1. ... 6:30 Uhr auf.   2. Er macht um sieben Uhr Frühstück.   3. Um acht Uhr kauft er eine Rose.
4. Um 14:00 Uhr holt er die Kinder ab.   5. Um 15:00 Uhr kauft er ein.   6. Um 17:00 Uhr kocht er das Essen.

Zu 10
2. Um sieben Uhr hat er Frühstück gemacht.
3. Um acht Uhr hat er eine Rose gekauft.
4. Um 14:00 Uhr hat er die Kinder abgeholt.

5. Um 15:00 Uhr hat er eingekauft.
6. Um 17:00 Uhr hat er das Essen gemacht.

Zu 12
17. Januar: Caro – 07. Februar: Agneta – 25. März: Natascha – 07. April: Paul – 03. Mai: Mario – 14. Juni: Maria – 03. Juli: Tim

Zu 13
1) 1. ja   2. ja   3. nein

2) b) von neun Uhr bis zehn Uhr   c) vom dreißigsten bis einunddreißigsten Juli
d) von sechzehn Uhr dreißig bis neunzehn Uhr fünfundvierzig   e) vom vierten Dezember bis zum achten Januar   f) vom einundzwanzigsten bis zum achtundzwanzigsten März   g) von zwölf Uhr bis achtzehn Uhr   h) vom achten bis zum sechsundzwanzigsten Juli
Datum: **vom** – Uhrzeit: **von**

Zu 14
1) *Text 1:* Zahnarzt: Dienstag, 3. April, zehn Uhr
Text 2: Schule: Donnerstag, 16 Uhr
Text 3: Restaurant: Samstag, 7. April, 19 Uhr.

2) Kowalski. Hallo?
Guten Tag, Herr Kowalski. Mein Name ist Maierbeck. Ich bin die Lehrerin von Sergio.
Ah ja, hallo. Was gibt es?
Ich möchte gern mit Ihnen über Sergio sprechen. Wann hätten Sie denn Zeit?
Vormittags? Das ist aber schlecht.
Am Donnerstag geht es auch nachmittags.
Da bin ich bis 17 Uhr in der Schule.
Gut, dann komme ich am Donnerstag um vier.
Sehr schön. Bis Donnerstag.
Ja, auf Wiedersehen.

Zu 15
1) *Vorschlag:*
Morgens dusche und frühstücke ich. Dann gehe ich spazieren. Mittags koche ich das Mittagessen. Nachmittags treffe ich Freunde oder lese. Abends sehe ich fern und nachts schlafe ich.

2) 1: Dann   2: Bis   3: zur Arbeit   4: Von
5: bis   6: nach   7: ins Bett   8: im   9: aus

Teil 1: 1b   2c   3a
Teil 2: 4 richtig   5 falsch   6 richtig

Possessivartikel im Nominativ

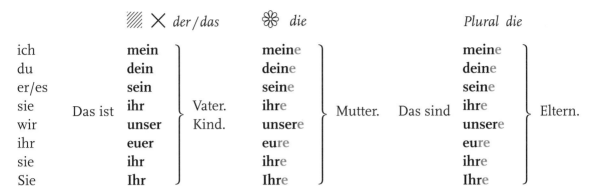

		▨ ✕ der / das	✿ die	Plural die
ich		**mein**	**meine**	**meine**
du		**dein**	**deine**	**deine**
er/es		**sein**	**seine**	**seine**
sie	Das ist	**ihr**	**ihre**	**ihre**
wir		**unser**	**unsere**	**unsere**
ihr		**euer**	**eure**	**eure**
sie		**ihr**	**ihre**	**ihre**
Sie		**Ihr**	**Ihre**	**Ihre**

(der/das) Vater. Kind. — (die) Mutter. — Das sind (Plural) Eltern.

Tipp
*Bei **der** und **das** ist der Possessivartikel im Nominativ gleich:* **mein, dein** *etc.*
*Auch Plural und **die** im Singular ist gleich:* **meine, deine** *etc.*

Possessivartikel im Akkusativ

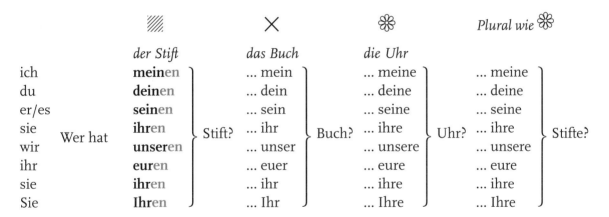

		▨ der Stift	✕ das Buch	✿ die Uhr	Plural wie ✿
ich		**meinen**	... mein	... meine	... meine
du		**deinen**	... dein	... deine	... deine
er/es		**seinen**	... sein	... seine	... seine
sie	Wer hat	**ihren**	... ihr	... ihre	... ihre
wir		**unseren**	... unser	... unsere	... unsere
ihr		**euren**	... euer	... eure	... eure
sie		**ihren**	... ihr	... ihre	... ihre
Sie		**Ihren**	... Ihr	... Ihre	... Ihre

Stift? — Buch? — Uhr? — Stifte?

Pronomen

Pronomen im Akkusativ (Singular)

Brauchst du den Schlüssel?	Nein, ich brauche **ihn** nicht.
Brauchen Sie das Fahrrad?	Ja, ich brauche **es**.
Brauchst du die Tasche?	Nein, ich brauche **sie** nicht.

Grammatik kompakt

Der Satz

Aussagesätze

Maria	telefoniert.		
Sie	spricht	Deutsch.	
Ich	bin	nicht müde.	
Meine Tochter	braucht	einen Computer.	
Heute abend	kochen	wir Spaghetti.	
Danach	spielen	wir Karten.	
Ich	stehe	heute früh	auf.
Du	kannst	im Bett	bleiben.
Ich	habe	gestern viel	gearbeitet.

W-Fragen

Wer	weiß	das?	
Wie	heißen	Sie?	
Woher	kommen	Sie?	
Was	machst	du hier?	
Wo	kaufst	du ein?	
Wann	kannst	du	kommen?
Wann	bist	du gestern	aufgestanden?

Ja-/Nein-Fragen

Lernst	du Deutsch?	
Können	Sie das bitte	wiederholen?
Hast	du gestern	gekocht?

Adjektive im Satz (prädikativ = nach dem Nomen)

Ich bin nicht **traurig**! Ich bin **lustig**!

Es im Satz

Wie viel Uhr ist **es**? – **Es** ist 9 Uhr.
Wie geht **es** Ihnen? – Nicht gut. **Es** regnet.

Ausdrücke mit Präpositionen

Ort

Woher kommst du?   **Aus** Athen.
Wo wohnst du?   **In** Köln.

Zeit

MAI 2009	MAI 2009
27 Montag	Donnerstag **30**
28 Dienstag	Freitag **1** *frei*
29 Mittwoch	Samstag **1** *15 Uhr Schwimmen*
	Sonntag **3**

Am 1. Mai arbeite ich nicht.

Am Samstag gehe ich ins Freibad.
Wann? **Um** 15 Uhr.

am + Tag
um + Uhrzeit

AUGUST 2009	AUGUST 2009
3 Montag	Donnerstag **6**
4 Dienstag *Hamburg*	Freitag **7**
5 Mittwoch	Samstag **8**
	Sonntag **9**

Ich bin **von** Montag **bis** Mittwoch in Hamburg.

Ich bin **von** Januar **bis** März in Hongkong.

Ich arbeite **von** 9 **bis** 17 Uhr.

Ich bin **vom** 3. **bis** 5. August in Hamburg.

von ... bis + Wochentag/Monat
                     oder Uhrzeit

vom ... bis + Ordnungszahl

Hörtexte

Hier finden Sie alle Hörtexte, die nicht oder nicht vollständig im Buch abgedruckt sind.

Kursbuch-CD

1 Ich und du

12

‹ Hat Marco Telefon? ı Ja: 69 74 43 61.
ı Die Handy-Nummer von Sebastian ist 0172 77 65 54 82. Nochmal: 0172 77 65 54 82.
‹ Und Sonja? ı Sonja hat die Nummer 0171 443 872 96. ‹ Wie? ı 0171 44 38 72 96.
ı Hier ist Nihans Nummer: 089 87 84 43 23.

Extra

Mann: Ja, wer ist da?
Jakob: Ich bin's, Jakob.
Maria: Wer ist da?
Mann: Jakob ...?
Maria: Ach Jakob! Ja ... aus dem Deutschkurs.
Mann: Jakob, du. Das ist ja eine Überraschung. Komm rein.

3 Das bin ich

4

Quizmaster: Herzlich Willkommen, meine Damen und Herren, bei „Wer wird Millionär?"-
Unser nächster Kandidat heißt Martin Bauer und kommt aus München.
Guten Abend, Herr Bauer.
Herr Bauer: Hallo, Herr Jauch.
Quizmaster: Wie geht es Ihnen?
Herr Bauer: Danke, gut. Aber ich bin ein bisschen nervös.
Quizmaster: Das ist normal. Wir sprechen einfach ein bisschen. Das hilft. Wie alt sind Sie?
Herr Bauer: Ich bin 49 Jahre alt.
Quizmaster: Und Sie wohnen in München. Sind Sie auch dort geboren?
Herr Bauer: Nein, ich bin in Stuttgart geboren.
Quizmaster: Sind Sie verheiratet?
Herr Bauer: Nein, ich bin geschieden. Aber ich habe drei Kinder. Einen Sohn, er ist
sieben Jahre alt. Und zwei Töchter, die eine ist zehn, die andere zwölf Jahre alt.
Quizmaster: Und was machen Sie beruflich?
Herr Bauer: Ich bin Deutschlehrer – aber bald bin ich Millionär.

12

Haben Sie einen Führerschein?	Haben Sie eine BahnCard?
Haben Sie eine Visitenkarte?	Haben Sie eine Kreditkarte?
Haben Sie ein Handy?	Haben Sie einen Bibliotheksausweis?
Haben Sie einen Personalausweis?	Haben Sie einen Hund?

4 Auf dem Markt

2

Pavel:	Funktioniert der Fotoapparat hier?
Verkäufer:	Natürlich funktioniert er!
Pavel:	Entschuldigung! Wie viel kostet er?
Verkäufer:	Er ist nicht teuer. Er kostet nur 120,– Euro.
Pavel:	So viel? Das ist aber teuer!
Verkäufer:	Er ist aber ganz neu!
Pavel:	Gibt es einen Rabatt?
Verkäufer:	Okay, okay. 100 Euro. In Ordnung?
Pavel:	In Ordnung, ich nehme den Fotoapparat.

5 Meine Familie und ich

3

Meine Familie ist weit weg. Meine Schwester lebt nicht in Deutschland und auch nicht in der Schweiz. Wir sehen uns nicht oft. Weihnachten besuche ich meine Mutter in Hamburg. Und wir telefonieren jeden Sonntag.

4 b)

der Vater – die Mutter – die Eltern
der Sohn – die Tochter – die Kinder
der Großvater – die Großmutter – die Großeltern
der Bruder – die Schwester – die Geschwister
der Onkel – die Tante
der Cousin – die Cousine
der Neffe – die Nichte

10

Wie ist deine Telefonnummer? – Wie ist deine Adresse? – Wie alt sind deine Eltern? – Wie heißen deine Kinder? – Wo wohnt deine Schwester?

11

a – i – ei   eins – zwei – drei   mein – dein – sein

6 Viel Zeit im Jahr

12

Und hier das Wetter für morgen, den 20. November. Berlin: Regenschauer, Temperaturen um drei Grad. Frankfurt: bewölkt bei sieben bis acht Grad. In Wien ist es heiter, die Sonne scheint, bis zu zehn Grad. Dagegen regnet es in Innsbruck bei sechs Grad. In Zürich ist mit leichten Schneefällen zu rechnen, mit Temperaturen um null Grad.

Hörtexte

16

1. Meine Damen und Herren. Der IC 265 nach München fährt um 12:18 Uhr auf Gleis sieben ein.
2. Es ist schon halb acht. Jetzt aber ab ins Bett.
3. ‹ Können Sie mir sagen, wie spät es ist? ❙ Ja, es ist genau fünf.
4. ‹ Wann bist du am Kino? ❙ Um Viertel vor acht.
5. Es ist 20 Uhr – die Nachrichten. In Berlin sind heute ...
6. ‹ Wann kommt Klaus? ❙ Ich glaube, er kommt um drei.

19 a)

Es ist 19:25 Uhr. / Es ist 21:25 Uhr. / Es ist 7:25 Uhr. / Es ist 13.25 Uhr. / Es ist 22:25 Uhr. / Es ist 16:25 Uhr.

b)

Unser Zug kommt um 20:10 Uhr.
Mein Bus kommt um 19:10 Uhr.
Ihr Zug kommt um 19:50 Uhr.
Sein Zug kommt um 16:10 Uhr.
Mein Bus kommt um 14:10 Uhr.

20

1. Frau Müller hört Musik. Sie hat den ganzen Tag gearbeitet. Sie hat in der Schule Deutsch gelernt, Essen gekauft, gekocht und geputzt. Um acht war sie endlich fertig. Jetzt ist es halb neun und sie ist sehr müde.
2. Meine Damen und Herren. Der Intercity-Express 257 fährt um 13:34 Uhr von Gleis vier ab.
3. Monika hat schon fünf Stunden gearbeitet. Jetzt hat sie Hunger. Es ist ja auch schon Viertel vor zwei. Sie kocht Spaghetti – hm, lecker.

7 Von früh bis spät

2

Vater: Lukas, aufstehen. Es ist schon sieben.
Lukas: Ja, ja. Ist das Frühstück fertig?
Vater: Ja, Mama wartet schon.
Lukas: Ich möchte ein Brötchen.
Vater: Aber ja, mein Herr. Jetzt beeil dich. Der Kindergarten beginnt um acht und du musst noch Zähne putzen!

Lerner-CD: Hörtexte der Übungen

Übungen 1

Zu Aufgabe 2
1)

◄ Guten Tag. Wie heißt du?
▌ Ich heiße Alina.
◄ Schöner Name.
▌ Danke. Und wie heißt du?
◄ Ich heiße Mehmed Paydas.
▌ Mehmed, woher kommst du?
◄ Ich komme aus der Türkei.

Zu Aufgabe 3

Türkei – aus der Türkei. Ich komme aus der Türkei.
Ukraine – aus der Ukraine. Ich komme aus der Ukraine.
Österreich – aus Österreich. Ich komme aus Österreich.
Italien – aus Italien. Ich komme aus Italien.

Zu Aufgabe 7
1)

1. Basel 2. Wien 3. Hamburg 4. Frankfurt 5. Bern 6. Leipzig 7. Graz 8. Bonn 9. Zug

Zu 11
2)

Figur 1. 2 – 22 – 21 – 51 – 52 – 72 – 73 – 53 – 54 – 24 – 23 – 3 – 2
Figur 2. 36 – 93 – 97 – 36 – 88 – 97
Figur 3. 38 – 68 – 70 – 40 – 38 – 59 – 40

Zu Aufgabe 12
Prüfungstraining: Kreuzen Sie an: a, b oder c? Sie hören den Text zweimal.

◄ Guten Tag. Haben Sie die Telefonnummer von Herrn Malon?
▌ Moment, ja, hier. Er hat die Nummer 276 34 58.
◄ Wie bitte?
▌ 276 34 58.

Hörtexte

Übungen 2

Zu Aufgabe 2
1)

ein Fernseher, ein Schwamm, ein Heft, ein Tisch, eine Tür, ein Papierkorb, ein Poster

Zu Aufgabe 5

‹ Entschuldigung, ich habe eine Frage.

▮ Ja, bitte?

‹ Wie heißt das auf Deutsch?

▮ Das ist eine Gegensprechanlage.

‹ Wie bitte? Das verstehe ich nicht. Bitte sprechen Sie langsam.

▮ Ja klar: eine Ge-gen-sprech-an-lage.

‹ Können Sie das bitte an die Tafel schreiben?

▮ Ja, natürlich.

‹ Entschuldigung, ich kann das nicht lesen.

▮ Okay, ich buchstabiere und Sie schreiben.

‹ Gut, danke.

Zu Aufgabe 21

1. ... ‹ Ich lese und höre Musik.
2. ... ‹ Ich bin in Zürich.
3. ... ‹ Nein, ich wohne in Bern. Aber heute bin ich in Zürich, ich fotografiere hier.
4. ... ‹ Nein, nicht gut, aber ich fotografiere gern.
5. ... ‹ Ich sage, ich fotografiere nicht gut, aber gern. Verstehst du? Hallo?

Übungen 3

Zu Aufgabe 2
1)

‹ Oh, das Foto ist schön!

▮ Danke.

‹ Aha. Hier steht: Du bist 175 Zentimeter groß. Oh, du bist in Warschau geboren – ich auch!

▮ Ich weiß ...

‹ Du bist ledig. Und du hast zwei Kinder.

▮ Stimmt, aber das steht nicht im Pass. Das weißt du.

♦ Entschuldigung. Die Ausweise, bitte!

▮ Hier.

♦ Danke. Und der Hund?

Zu Aufgabe 5

‹ Guten Tag. Ich brauche Ihre Angaben. Wie ist Ihr Vorname?
❙ Claudia.
‹ Und der Nachname?
❙ Baumer.
‹ Wo sind Sie geboren?
❙ In München.
‹ Wie alt sind Sie?
❙ Ich bin 57 Jahre alt.
‹ Familienstand?
❙ Verheiratet.
‹ Und wo wohnen Sie?
❙ In der Goethestr. 28, in 53115 Bonn.
‹ Danke, das war's.

Zu Aufgabe 15
2)

Sind Sie intelligent? / Sind Sie zuverlässig? / Sind Sie schnell? / Sind Sie pünktlich? / Sind Sie erfolgreich? / Sind Sie freundlich?

Übungen 4

Zu Aufgabe 3
2)

Pavel ist auf dem Flohmarkt. Er braucht einen Kühlschrank.

Pavel:	Hallo, was kostet denn der Kühlschrank?
Trödler:	Der ist janz billig, nur fuffzig Euro.
Pavel:	Fünfzig Euro? Das ist wirklich billig. Wie alt ist denn der Kühlschrank?
Trödler:	Weeß ick nich so jenau. Zehn Jahre vielleicht.
Pavel:	Und er funktioniert?
Trödler:	Klar. Der funktioniert.
Pavel:	Ich weiß nicht …

Zu Aufgabe 7
2)

Fürth – Furth im Wald   Nordkirchen – Nördlingen   Schwabach – Schwäbisch Hall

Zu Aufgabe 8
1)

Brauchst du ein Wörterbuch?   Brauchst du einen Stuhl?
Brauchst du einen Drucker?   Brauchst du eine Tasche?
Brauchst du ein Handy?   Brauchst du ein Auto?
Brauchst du einen Papierkorb?   Brauchst du einen Computer?

Hörtexte

Zu Aufgabe 11
2)

‹ Entschuldigung, wie viel kostet ein Kaffee?
▎1,80 Euro.
‹ Und ein Tee?
▎1,20 Euro.
‹ Okay, einen Tee bitte!

‹ Haben Sie Espresso?
▎Ja, und der Espresso kostet heute nur 1,60 Euro.
‹ Super. Ich nehme einen.

‹ Ich möchte gerne zahlen.
▎Was hatten Sie?
‹ Eine Cola.
▎Das macht 2,70 Euro.

‹ Ein Stück Käsekuchen, bitte.
▎Zahlen Sie gleich?
‹ Ja, gern.
▎3,20 Euro, bitte.

3)

Das Handy kostet 499 Euro.
Die Tasche kostet 120 Euro.
Das Buch kostet 29 Euro.

Die Tomaten kosten 3,99 das Kilo.
Das Brot kostet 4,50 Euro.

Übungen 5

Zu Aufgabe 2

Interviewer:	Guten Tag, Frau Kravietz. Heute sprechen wir über Ihre Familie, okay?
Dame:	Ja gern. Fragen Sie nur.
Interviewer:	Sie haben zwei erwachsene Söhne. Wo leben Ihre Kinder?
Dame:	Meine Söhne leben in Berlin.
Interviewer:	Haben Sie Geschwister?
Dame:	Ja, drei. Mein Bruder heißt Pivo, meine Schwestern heißen Nadja und Anna.
Interviewer:	Und leben Ihre Eltern noch?
Dame:	Ja, mein Vater und meine Mutter leben noch.
Interviewer:	Sehen Sie Ihre Eltern oft?
Dame:	Nein, ich kann sie leider nur selten besuchen.

Zu Aufgabe 7
1)

Das ist die Familie von Klaus. Ganz links sind sein Großvater Wolfgang und sein Bruder Peter. Klaus ist hinten in der Mitte. Links ist sein Vater Helmut und rechts, das ist seine Mutter Helga. Ganz rechts, das ist seine Schwester Martina. Vorne links sind seine Cousinen Britta und Julia. Vorne rechts ist seine Tante Gertrud. Das ist seine Lieblingstante.

Zu Aufgabe 10

Das ist meine Vase.   Das ist mein Bleistift.   Das ist meine Kette.

Zu Aufgabe 11

1. Meine Nichte arbeitet viel.
2. Mein Sohn und seine Frau leben in Frankreich.
3. Unsere Enkelin kann noch nicht sprechen.
4. Meine Tochter ist seit drei Jahren verheiratet.

Zu 15 plus

Herr Schneider! Wo ist mein Bleistift? Ich brauche meinen Bleistift!
Herr Schneider! Wo ist meine Kreditkarte? Ich brauche meine Kreditkarte!
Herr Schneider! Wo ist mein Pass? Ich brauche meinen Pass!
Herr Schneider! Wo ist mein Handy? Ich brauche mein Handy!
Herr Schneider! Wo ist mein Schlüssel? Ich brauche meinen Schlüssel!
Herr Schneider! Wo ist meine Tasche? Ich brauche meine Tasche!
Herr Schneider! Wo ist meine Uhr? Ich brauche meine Uhr!
Herr Schneider! Wo ist mein Kaffee? Ich brauche meinen Kaffee!

Übungen 6

Zu Aufgabe 6

Im Juli ist es kalt. Es ist Winter. Aber es ist trocken. Im Sommer regnet es und manchmal stürmt es. Sommer, das heißt Dezember bis März. Es ist sehr heiß und schwül. Die Sonne scheint oft und das Wetter ist toll. Wir sind viel draußen: Wir schwimmen, grillen und essen Erdbeeren. Ich mag den Sommer sehr, besonders Weihnachten.

Zu Aufgabe 12

Im Wallis, im Tessin, im Gotthardgebiet und in Graubünden hat es heute morgen geschneit. Jetzt ist der Himmel blau. Skifahrerwetter. Die Temperaturen liegen zwischen minus drei und minus fünf Grad. Morgen steigen sie auf plus zwei Grad und es gibt Regen.

Zu Aufgabe 16

Text 1: ‹ Was rennst du denn so? ▮ Frag nicht so dumm. Es ist schon kurz vor vier und mein Zug kommt.

Text 2: ... die Zeit: Es ist zwanzig vor sieben. Sie hören nun ...

Text 3: Ein Mädchen, es heißt Franziska! Es ist alles gut gegangen. Drei Stunden, dann war sie da. Was? Ja, vor einer halben Stunde, genau um halb eins. Sie hat blaue Augen und wiegt ...“

Text 4: Der Eurocity Wörtersee nach Klagenfurt, Abfahrt 18:37 Uhr fährt auf Gleis eins ein. Vorsicht am Gleis eins!

Text 5: Sie sind ja immer noch hier. Es ist schon Viertel nach sieben. Wollen Sie nicht nach Hause?

Hörtexte

Übungen 7

Zu Aufgabe 7

Interviewer: Hallo Frau Kroll. Sie arbeiten hier in Malsberg bei der Stadt. Berichten Sie doch mal von Ihrem Arbeitsalltag.

Frau Kroll: Ja gern. Ich fange jeden Morgen um neun Uhr an. Zuerst esse ich immer ein Brötchen. Dann mache ich den Computer an. Dann koche ich Kaffee. Am Morgen brauche ich einfach einen Kaffee. Dann kommt Sybille. Sybille Koch. Das ist meine Kollegin. Sie arbeitet nur vier Stunden am Tag. Wir sprechen von unseren Kindern. Danach kommt auch schon Monika, also Frau Müller, und wir müssen alles noch einmal erzählen. Danach rufe ich meine Tochter an ...

Zu Aufgabe 12

Mein Name ist Paul. Ich habe am 7. April Geburtstag.
Ich heiße Natascha. Ich komme aus Moskau. Ich habe am 25. März Geburtstag.
Guten Tag, ich bin Tim. Wann ich Geburtstag habe? Am 3. Juli.
‹ Maria, gestern war dein Geburtstag, oder? ▮ Gestern? Nein, ich habe am 14. Juni Geburtstag.
Hi, ich bin Caro. Ich habe am 17. Januar Geburtstag.
‹ Mario, wann hast du Geburtstag? ▮ Am 3. Mai. ‹ Dritten was? ▮ Am 3. Mai.
‹ Agneta, hast du am 7. Februar oder am 7. März Geburtstag? ▮ Am 7. Februar.

Zu Aufgabe 13
1)

Text 1:   Achtung: Die Stadtbibliothek hat in den Ferien gesonderte Öffnungszeiten: Vom 1. bis zum 3. August ist sie von 9:30–13:00 Uhr geöffnet, vom 4.–10. August nur von 9:30 bis 12:00 Uhr.

Text 2:   Im Sommer ist der Zoo vom 28. Juli bis zum 31. August täglich von 9:00 bis 19:00 Uhr geöffnet.

Text 3:   Eiscafé Venezia. Wir bauen um. Das Café ist bis zum 10. August leider geschlossen.

Zu Aufgabe 14

Text 1:   ‹ Zahnarztpraxis Dr. Fuchs.
    ▮ Guten Tag, mein Name ist Kowalski. Ich brauche einen Termin.
    ‹ Können Sie am 3. 4.?
    ▮ Am Dienstag? Ja, das ist in Ordnung. Um wie viel Uhr?
    ‹ Um acht Uhr?
    ▮ Geht es auch um zehn Uhr?
    ‹ Ja, das ist möglich. Also Dienstag, am 3. April, um zehn Uhr.
    ▮ Ja, danke. Auf Wiederhören.
    ‹ Auf Wiederhören.

Text 2: ‹ Kowalski. Hallo?

   ▮ Guten Tag, Herr Kowalski. Mein Name ist Maierbeck. Ich bin die Lehrerin von Sergio.

   ‹ Ah ja, hallo. Was gibt es?

   ▮ Ich möchte gern mit Ihnen über Sergio sprechen. Wann hätten Sie denn Zeit?

   ‹ Vormittags? Das ist aber schlecht.

   ▮ Am Donnerstag geht es auch nachmittags. Da bin ich bis 17 Uhr in der Schule.

   ‹ Gut, dann komme ich am Donnerstag um vier.

   ▮ Sehr schön. Bis Donnerstag.

   ‹ Ja, auf Wiedersehen.

Text 3: ‹ Restaurant Am Stadtpark, Hanselmann. Guten Abend.

   ▮ Hallo. Ich möchte einen Tisch reservieren.

   ‹ Sehr gern. Wann möchten Sie kommen?

   ▮ Am Samstag, um 19 Uhr. Wir sind sechs Personen.

   ‹ In Ordnung. Am Samstag, dem 7. 4. um 19 Uhr. Auf welchen Namen?

   ▮ Kowalski.

   ‹ Kowalski. Gut, alles klar. Vielen Dank.

   ▮ Ich danke auch. Auf Wiederhören.

   ‹ Auf Wiederhören.

Prüfungsvorbereitung: Hören, Teil 1. Kreuzen Sie die richtige Lösung an.
Sie hören jeden Text zweimal.

Text 1: ‹ Maria, du kommst im Juni? Toll! Wann genau?

   ▮ Ich komme am 5. Juni und bleibe bis zum zwölften.

   ‹ Super!

Text 2: Vielen Dank für Ihren Anruf. Unsere Öffnungszeiten sind montags bis freitags von zehn Uhr bis 18 Uhr und samstags von zehn Uhr bis 15 Uhr. Wir freuen uns auf Ihren Besuch.

Text 3: ‹ Sag mal, wann ist dein Arzttermin?

   ▮ Moment ... Ah hier. Am Montag, um 12 Uhr.

   ‹ Gut, dann komme ich um drei, okay?

   ▮ Ja, das ist gut. Bis dann.

Prüfungsvorbereitung: Hören, Teil 2. Richtig oder falsch? Sie hören jeden Text einmal.

Text 4: ‹ Gehen wir am Montag ins Kino?

   ▮ Am Montag? Das ist der 9. September. Nein, da kann ich nicht. Da habe ich einen Arzttermin.

Text 5: Ich mache jetzt einen Deutschkurs. Ich habe jeden Tag vier Stunden Schule. Der Unterricht fängt um acht an und um zwölf gehe ich nach Hause. Mittagessen.

Text 6: Hallo, Tanja. Lernen wir heute Abend zusammen? ... Um sechs? Ja, das ist gut. Bis dann.

Alphabetische Wörterliste

Die alphabetische Liste enthält den Wortschatz der Einheiten und der Übungen.
Namen, Zahlen und grammatische Begriffe sind in der Liste nicht enthalten.
Wörter in *kursiv* müssen Sie nicht lernen.

Ein · oder ein – unter dem Wort zeigt den Wortakzent:
ạ = kurzer Vokal   a̲ = langer Vokal

Nationale Varietäten. Die deutsche Standardsprache ist u. a. in Deutschland (D), in Österreich (A) und in der Schweiz (CH) zu Hause. Aber manche Wörter benutzt man nicht in allen Ländern. Beispiel: *Tüte* (D), *die, -n*: nur in Deutschland; *Sạckerl* (A), *das, -n* : in Österreich; *Sạck (CH), der, "-e:* in der Schweiz.

Nach den Nomen finden Sie immer den Artikel und die Pluralform:
zum Beispiel: Buch, das, "-er = das Buch, die Bücher
" = Umlaut im Plural
* = Es gibt dieses Wort nur im Singular.

Die Zahlen geben an, wo das Wort zum ersten Mal vorkommt (z. B. 7/6 bedeutet Einheit 7, Aufgabe 6 oder Ü7/14 Übungsteil der Einheit 7, Übung zu 14).

A

ạb 3/15a
ạbends 3/15a
aber (1) 1/2a
aber (2) 4/1
ạbholen, holt ạb 7/3
Ạblauf, der, "-e 7/7
ạbwaschen, wäscht ạb,
  hat ạbgewaschen 7/6
Ạch,... 5/12
Ạchtung! 7/13
Adrẹsse, die, -n 3/2
Ạde! (CH)
*Ạfrika, das, * Ü4/7*
Aha̲! 1/2a
Aktio̲n, die, -en 6/24a
Aktivitä̲t, die, -en 6/3
allein 3/21c
alleine 7/6
ạlles 1/7
Alles Gu̲te! 0/2a
Alphabẹt, das, -e 0/3
alphabe̲tisch 3/1
ạls 7/6
ạlso 2/19a
ạlt 3/0
Ạltersheim, das, -e 7/6

Altenpfle̲ger/in (D, A), der/
  die, -/-nen 7/6
Ạlter, das, - 3/1
ạm 7/3
Ạmt, das, "-er 1/Extra
ạn 2/4b
ạnders 6/6
Ạnfang (am Anfang), der, "-e
  1/7
ạnfangen, fängt ạn,
  hat ạngefangen 7/6
Ạngebot (im Angebot sein),
  das, -e 4/16c
ạnkommen, kommt ạn,
  ist ạngekommen Ü7/14
ạnkreuzen: Kreuzen Sie an. 0
ạnmachen, macht ạn 7/6
ạnrufen, ruft ạn,
  hat ạngerufen 7/10a
ạnsehen, sieht ạn,
  hat ạngesehen 1/14
ạnstrengend 5/5
Ạntwort, die, -en 2/19b
ạntworten 1/15
Ạnzeige, die, -n 3/15a
ạnziehen, zieht ạn,
  hat ạngezogen 7/6
Apạrtment, das, -s 0/3

Ạpfel, der, "- 4/1
April, der, -e (mst. Sg.) 6/0
arạbisch 1/2b
Ạrbeit, die, -en 3/23
ạrbeiten 3/15a
Ạrzt/Ä̲rztin, der/die, "-e/-nen
  5/19
Ạst, der, "-e 7/15a
äthio̲pisch 1/2b
Aubergine (D, CH), die, -n
  4/1
auch 1/2a
Auf Wie̲dersehen. 0/2
Aufgabe, die, -en 0/4
aufgehen, geht auf,
  ist aufgegangen 3/Extra
aufgeregt (sein) 7/12b
aufhängen 3/22b
aufhören, hört auf 7/6
aufregend 7/3
aufstehen, steht auf,
  ist aufgestanden 7/1
aufwachen, wacht auf,
  ist aufgewacht 7/10a
Augenfarbe, die, -n 3/2
August (im August), der, -e
  5/12
aus 1/1

Ausstellung, die, -en 6/24b
auswählen: Wählen Sie aus.
  3/3
Auto, das, -s 1/9
Autobahn, die, -en 6/Extra
automatisch 3/Extra

B

backen, bäckt, hat gebacken
  6/3
Bad, das, "-er 7/2
Badegelegenheit, die, -en 7/
  Extra
baden 7/15a
Bahn, die, -en 3/0
BahnCard (D), die, -s 3/12
bald 7/3
Ball, der, "-e 2/1
Banane, die, -n 4/4a
Bar, die, -s 0/3
bauen 6/3
Beamer, der, - 2/0
beantworten 3/3
beeilen: Beeil dich! 7/3
beginnen, hat begonnen
  5/23c
bei 4/10b
beide 1/18
Beispiel, das, -e 1/16
Bekannte, der/die, -n 7/Extra
bekommen, hat bekommen
  4/4a
benutzen 6/24b
Beratung, die, -en 7/17a
Beruf, der, -e 7/6
beschreiben, hat beschrieben
  5/7
Besprechungstermin, der, -e
  7/6
besser, am besten 7/Extra
Besuch, der, -e 6/7a
besuchen 5/1
betont 2/14a
Betonung, die, -en 1/3
Bett, das, -en 2/0
bewölkt (es ist bewölkt) 6/5a

Bezahlung, die, -en 3/15a
Bibliothek, die, -en 0/3
bilden 6/7e
billig 4/3
Birne, die, -n 4/4a
bis 3/15a
bisschen, ein bisschen 3/15a
bitte 2/2
Bitte schön. 4/4a
blättern 3/12
blau 6/7a
bleiben, bleibt, ist geblieben
  5/16
Bleistift, der, -e 2/1
Blitz, der, -e 4/2
blitzen (es blitzt) 6/4
Blume, die, -n 6/3
Boot, das, -e 3/0
brauchen 3/11
Braut, die, "-e 5/23
Bräutigam, der, -e 5/23
Brezel, die, -n 4/12
Brille, die, -n 5/9
Brite/in, der/die, -n/-nen
  7/Extra
Brot, das, -e 4/10
Brötchen (D), das, - 4/11
Brotsorte, die, -n 4/10a
Bruder, der, "- 5/1
Buch, das, "-er 2/4a
Buchstabe, der, -n 1/3
buchstabieren 1/8
bügeln 3/15a
Bürgerbüro, das, -s 7/17a
Büro, das, -s 5/22
Bus, der, -se 0/3
Butter, die, * Ü3/10

C

Café, das, -s 7/14a
Call-Center, das, - 3/15a
Camping, das, * 0/3
CD, die, -s 2/1
CD-Player, der, - 2/0
Chance, die, -n 0/3
Chiffre, die, -n 3/15a

Chinese/-in, der/die, -n/-nen
  4/Extra
Chinesisch, das, * 1/16
circa (Abk.: ca.) 1/Extra
Coiffeursalon (CH), der, -s
  3/15a
Cola, die (D), das (A, CH), -s
  0/3
Comic, der, -s 5/19
Computer, der, - 0/3
cool 5/23b
Cousin/e, der/die, -s/-n 5/1
Croissant, das, -s 4/12

D

da 4/11
da sein, ist da, ist da gewesen
  5/5
damit 6/Extra
danach 6/8
Danke, gut! 1/2c
Danke! 2/4a
dann 4/13b
das 1/1
Das geht nicht. 1/Extra
Das ist klar. 2/16
Datum, das, die Daten 7/12
dauern 7/3
dazwischen 6/Extra
denken, denkt, hat gedacht
  4/13b
denn 4/4a
der 2/11
Deutsch, das, * 0/3
deutsch 3/Extra
Deutsche, der/die, -n 4/10a
Deutschkurs, der, -e 2/1
Dezember, der, - (mst. Sg.)
  6/1
Dialog, der, -e 1/2
Diät, die, -en 3/Extra
dick 3/17
die 2/11
Dienstag, der, -e 6/1
dieser, dieses, diese 3/0
diktieren 1/13

Alphabetische Wörterliste

Ding, das, -e 2/1
doch 1/Extra
Doktor/in, der/die, -en/-nen
 0/3
Dokument, das, -e 0/3
Donner, der, - 6/Extra
donnern (es donnert) 6/4
Donnerstag, der, -e 6/1
dort 5/1
draußen 6/7a
drücken 2/Extra
Drucker, der, - 4/1
du 1/1
dunkel 6/0
dünn 3/17
duschen 7/1
DVD, die, -s 0/3

E

E-Mail, die (D, CH) / das (A),
 -s 2/16
Echo, das, -s 3/19b
echt 6/5b
ein, ein, eine 2/0
Einbahnstraße, die, -n 1/Extra
einfach 2/11
einige 5/5
Einkauf, der, "-e 4/16c
einkaufen, kauft ein 4/12
Einkaufsliste, die, -n 4/16b
einmal 5/1
einschlafen, schläft ein,
 ist eingeschlafen 2/Extra
einstellen 2/Extra
Eintritt, der, -e 7/Extra
Einwohner/in, der/die, -/-nen
 4/10a
Eis (D, A), das, * 2/6
Eiscafé, (D) das, -s 7/13
Eisenbahnmuseum, das,
 -museen 7/12b
Eltern, die, nur Pl. 5/1
Ende (am Ende), das, -n 6/7e
endlich 7/15a
Englisch, das, * 3/18a
englisch 3/23

Enkelkind, das, -er 5/5
entfernt (entfernt sein) 6/Extra
entschuldigen 5/17
Entschuldigung, die, -en 5/16
Entschuldigung! 2/4b
er 1/18a
Erdbeere, die, -n 4/1
erfolgreich 3/18a
ergänzen 1/4
Erkältung, die, -en 5/16
erst 7/10a
erzählen 7/11
es 2/11
Espresso, der, -s Ü4/11.2
Essen, das, * 0/4
essen, isst, hat gegessen
 4/10a
etwas 2/19a
etwas (ein bisschen) 4/13b
Euro, der, -s 4/4a
*Europa, das, *** Ü4/7
Europäer/in, der/die, -/-nen
 7/Extra

F

Fähigkeit, die, -en 3/15a
Fahrausweis (CH), der, -e 3/6
fahren, fährt, ist gefahren 3/0
Fahrer/in, der/die, -/-nen
 3/15a
Fahrrad, das, "-er 3/15a
falsch 3/4
Familie, die, -n 3/23
Familienstand, der, * 3/2
fast Ü2/21
Fazit, das, -e 6/24a
Februar, der, -e (mst. Sg.) 6/1
*Fehlen, das, *** 5/17
Feier, die, -n 5/23c
Feierabend, der, -e 7/0
feiern 5/1
Feld, das, -er 6/Extra
Fenster, das, - 2/1
Ferien, die, nur Pl. 7/13
Fernsehen, das, * 3/4
fernsehen, sieht fern,

 hat ferngesehen 5/22
Fernseher, der, - 2/0
fertig (fertig sein) 6/20
Fest, das, -e 5/1
Fieber, das, * 5/16
Film, der, -e 3/0
finden, hat gefunden 4/4a
flexibel 3/15a
*Flexibilität, die, *** 3/15a
Flohmarkt, der, "-e 4/0
Flugticket, das, -s 3/8a
Form, die, -en 6/7e
Foto, das, -s 1/14
Fotoapparat, der, -e 4/2
fotografieren 1/4
Frage, die, -n 1/23a
fragen 1/8
Fragezeichen, das, - 1/4
Franzose/Französin, der/die,
 -n/-nen 7/Extra
Frau, die, -en 1/2a
frei (frei haben) 5/22
Freibad, das, "-er 7/13
Freitag, der, -e 6/1
Freizeit, die, * 7/15a
freuen (sich) 7/12b
Freund/in, der/die, -e/-nen
 3/11
freundlich 3/15a
Frisörsalon (D, A), der, -s
 3/15a
fröhlich 5/23b
früh 7/1
Frühling, der, -e 6/2
Frühstück, das, -e 4/12
frühstücken 7/1
fühlen 4/9
Führerschein (D, A), der, -e
 3/6
Führerscheinklasse, die, -n
 3/15a
Führung, die, -en 7/17a
funktionieren 4/3
für 3/15a
Fußball * 5/1
Fußballspieler/in, der/die,
 -/-nen 5/1

G

ganz 2/11
ganzer, ganzes, ganze 6/7a
geben, gibt, hat gegeben 4/0
geboren (geboren am) 3/3
*Geborgenheit, die, * 5/0*
Geburtsort, der, -e 3/2
Geburtstag, der, -e 3/2
Geburtstagskind, das, -er 5/5
Gedicht, das, -e 4/9
gefährlich 6/22
gegen 7/Extra
Gegensprechanlage, die, -n
    1/Extra
Gegenstand, der, "-e 2/22a
gehen, geht, ist gegangen
    4/16e
Geld, das, -er 3/15a
gelten, gilt, hat gegolten
    7/Extra
Gemüse, das, - 4/1
genau 6/18
Genie, das, -s 0/3
geöffnet: es ist geöffnet 7/3
gern 1/18
Geschäft, das, -e 4/10a
geschieden (geschieden sein)
    3/2
Geschlecht, das, -er 3/2
geschlossen: es ist geschlos-
    sen 7/13
Geschwister, die, nur Pl. 5/1
gesondert 7/13
gestern 6/7
gesund 4/Extra
Gewitter, das,- 6/4
Gitarre, die, -n 0/3
Glace (CH), die/das,-,-s 2/Ü
Glas, das, "-er 4/1
Glaskuppel, die, -n 7/Extra
glauben 2/2
gleich 7/10a
Grad, das, -e 6/11
Gramm (Abk.: g), das, - 4/4a
gratis 7/Extra
Grieche/-in, der/die, -n/-nen
    7/Extra
griechisch 1/2b

grillen (D, A) 6/3
grillieren (CH) 6/3
groß 3/1
Großbäckerei, die, -en 4/10a
Größe, die, -n 3/1
Großeltern, die, nur Pl. 5/1
Großvater/-mutter, der/die,
    "-/"- 5/4b
Grüezi. (CH) 1/2c
grün 6/0
Gruppe, die, -n 0/3
Gruß, der, -e Ü2/16
Grüß Gott. 0/2a
Guetzli (CH), das, - 6/3
gut 1/2c
Gute Besserung! 5/16
Gute Nacht! 1/2c
Guten Abend. 1/2c
Guten Appetit! 4/16
Guten Morgen. 1/2c
Guten Tag. 0/2
Gymnastik, die, - 2/13

H

Haar, das, -e 7/3
Haarfarbe, die, -n 3/2
haben 2/4b
halb 6/13
halber, halbes, halbe 4/4a
halbtags 7/6
Halbtax (CH), das, - 3/12
Hallo! 0
Hamburger, der, - 0/3
handwerklich 3/15a
Handy, das, -s 2/1
hässlich Ü4/3.3
häufig (der häufigste Name),
    am häufigsten 1/Extra
Haus, das, "-er 5/8
Haushalt, der, -e 7/6
Hausnummer, die, -n 3/2
Haustier, das, -e 3/0
Heft, das, -e 2/1
heilen 6/Extra
Heimat, die, * 6/7a
heiraten 7/16c

heiß 6/0
heißen 0
helfen, hilft, hat geholfen
    3/15a
hell 6/0
Herbst, der, -e 6/2
Herd, der, -e 8/0
Herr, der, -en 1/14
*Heu, das, * 7/15a*
Heuschnupfen, der, * 6/3
heute 4/4a
hier 1/9
Hilfe, die, -n 3/15a
Himmel, der, - 6/7a
hinten 5/5
hintereinander 6/Extra
Hobby, das, -s 5/Extra
Hochzeit, die, -en 5/23
höflich 4/15
hören 0
Hörer/in, der/die, -/-nen 7/
    Extra
Hotel, das, -s 3/14
Hund, der, -e 3/12
Hunger, der, * 7/15a

I

ich 0/1
Identitätskarte (CH), die, -n
    3/12
ihr 2/16
im 2/1
immer 3/15a
immer noch 7/10a
in 1/2a
Information, die, -en 3/5
intelligent 3/18a
interessant 1/2b
interessieren 7/17a
international 0/3
Interview, das, -s 1/23a
Italiener/in, der/die, -/-nen 6/8

Alphabetische Wörterliste

J

ja 1/14
Ja, klar! 2/2
Jahr, das, -e 3/0
Jahreszeit, die, -en 6/0
Januar, der, -e (mst. Sg.) 6/0
Japanisch, das, * 3/18a
jeder, jedes, jede 2/Extra
jetzt 4/13b
Job, der, -s 3/15
joggen 1/18a
Juli, der, -s (mst. Sg.) 6/0
jung 3/17
Junge, der, -n 3/Extra
Juni, der, -s (mst. Sg.) 6/1

K

Kaffee (D) / Kaffee (A, CH),
    der, -s 3/0
Kalender, der, - 7/14a
kalt 6/0
kaputt (kaputt sein) 6/7a
Karte (Karten spielen), die, -n
    7/14a
Kartoffel, die, -n 4/1
Kastanie, die, -n 6/3
Kasten (A), der, "- Ü2
kaufen 4/2
Kaufhaus, das, "-er 3/Extra
Kaufmann/-frau, der/die ",
    -er/-en 7/6
kein, kein, keine 2/6
kennen, hat gekannt 1/24
kennenlernen, lernt kennen,
    hat kennengelernt 5/23c
Kette, die, -n 4/1
Kilo(gramm) (Abk.: kg), das,
    -s 4/4a
Kilometer, der, - 0/3
Kind, das, -er 3/0
Kindergarten, der, "- 7/2
Kino, das, -s 7/17
Kirsche, die, -n 4/1
Kiwi, die, -s 4/1
Klasse, die, -n 3/15a
Kleid, das, -er 4/1

klein 3/17
Klima, das, -s 7/Extra
klingeln 1/13
klingen, hat geklungen 4/Extra
Knall, der, -e 6/7a
Knoblauch, der, * 4/1
*Knoblauchquark, der, ** 4/13b
kochen 1/18a
Kollege/-in, der/die, -n/-nen
    7/6
kommen (kommen aus), ist
    gekommen 1/1
Kommen Sie. 4/4a
Komponist/in, der/die,
    -en/-nen 3/Extra
können, kann, hat gekonnt
    2/2
kontrollieren 1/14
Konzert, das, -e 7/17a
Kopf, der, "-e 4/10a
kosten (1) 4/3
kostenlos 7/Extra
krank (krank sein) 5/16
Kreditkarte, die, -n 3/11
Kreuz, das, -e 2/12
Küche, die, -n 6/8
Kuchen, der, - 4/12
Kühlschrank, der, "-e 2/0
Kunde/-in, der/die, -n/-nen
    4/10a
Kurs, der, -e 0/2b
Kursraum, der, "-e 2/22a
kurz 3/20b
kurz nach/vor 6/13

L

lachen 1/18a
Lampe, die, -n Ü4/8.3
Land, das, "-er 1/1
lang 3/20a
langsam 2/4b
langweilig 6/0
laufen, läuft, ist gelaufen
    5/21
Laugenstange, die, -n 4/12
Laut, der, -e 1/3

laut 5/0
leben 4/10b
Leben, das, - 6/23
lecker (D) 4/13b
ledig (ledig sein) 3/2
Lehrer/in, der/die, -/-nen 0/1
leider 5/1
leise 1/2c
lernen 1/14
lesen, liest, hat gelesen 0
letzter, letztes, letzte 5/7
Leute, die, nur Pl. 6/7a
Licht, das, -er 6/23
lieb 5/12
Liebe Grüße Ü4/P
Lieber/Liebe ... Ü4/P
Lieblingswort, das, "-er 0/4
liegen (liegen an), liegt,
    hat (D)/ist (DSüd, A, CH)
    gelegen 7/Extra
links 5/5
Liste, die, -n 6/7d
Literatur, die, -en 0/3
los müssen, muss los 7/3
Lösung, die, -en Ü3/4
Lotterie, die, -n 2/Extra
lustig 5/23b

M

machen 1/9
Mädchen, das, - 2/Extra
„Mädchen für alles", das, - 7/6
Mai, der, -e (mst. Sg.) 6/1
mal 3/18
malen 1/18a
Maler/in, der/die, -/-nen 5/1
Mama, die, -s 5/21
man 2/4a
Mann, der, "-er 2/4
markieren 0
Markt, der, "-e 4/0
Marktschreier/in, der/die,
    -/-nen 4/4b
Marktstand, der, "-e 4/5a
Marmelade (D, A), die, -n
    0/3

März, der, -e (mst. Sg.) 6/1
Maschine, die, -n Ü7/5
Mathematik, Mathematik (A)
    die, * 0/3
Medikament, das, -e 5/19
Mehl, das, -e 4/10a
mehr 4/4a
mein, mein, meine 0/4
meisten ... (viele) 1/Extra
Melanzani (A), *die, Melanzane*
    4/1
Melodie, die, -n 1/24
Melone, die, -n 4/1
Mensch, der, -en 3/15a
„Mensch ärgere dich nicht"
    (Spiel) 7/6
merkwürdig 6/Extra
Messebau, der, * 3/15a
messen, misst, hat gemessen
    5/19
Meter, der, - 3/3
Migrant/in, der/die, -en/nen
    7/17a
Million, die, -en 4/10a
Minute, die, -n 7/3
mit 7/12
Mitarbeiter/in, der/die,
    -/-nen 3/15a
mitbringen, bringt mit,
    hat mitgebracht 1/23d
mitlesen, liest mit,
    hat mitgelesen 1/2c
mitnehmen, nimmt mit,
    hat mitgenommen 5/16
Mittagessen, das, - 7/6
mittags 7/5
Mitte (in der Mitte), die, -n
    (mst. Sg.) 5/7
Mitternacht, die, "-e 7/Extra
Mittwoch, der, -e 6/1
Modus T9, der, * 2/Extra
mögen, mag, hat gemocht
    1/18a
möchten 4/13b
möglich 3/15a
Möglichkeit, die, -en 6/17
Monat, der, -e 6/1
Mond, der, -e 2/Extra

Montag, der, -e 6/1
morgen 5/16
Morgen: am Morgen,
    der, - 7/0
morgens 3/15a
Motorrad, das, "-er 3/15a
müde 3/16
multiplizieren 6/Extra
Musik, die, -en 0/3
müssen, muss 5/12
Mutter, die, "- 5/1
Muttersprache, die, -n 3/18a

N

nach (1) 5/12
nach (2) 6/13
Nachbar/in, der/die, -n/-nen
    3/7
nachfragen, fragt nach 6/10
Nachmittag: am Nachmittag,
    der, -e 7/3
nachmittags 7/15a
Nachname, der, -n 1/8
nachsprechen, spricht nach,
    hat nachgesprochen 1/7
Nacht, die, "-e 6/Extra
Nachtarbeiter/in, der/die,
    -/-nen 7/Extra
Nachtisch, der, -e Ü7/5
nachts 7/10a
nah (nah sein) 6/Extra
Name, der, -n 1/1
nämlich 1/Extra
nass 6/0
natürlich 2/4b
nebenan 4/13b
Neffe, der, -n 5/4b
nehmen, nimmt,
    hat genommen 4/3
nein 1/2b
nennen, hat genannt 3/Extra
nerven 5/12
nervös 5/23b
neu Ü4/3.3
nicht 1/18a
nicht mehr 7/6

nicht wahr 3/Extra
Nichte, die, -n 5/1
nie 6/Extra
noch 4/4a
noch einmal 1/5
noch lange 2/21a
noch nicht 5/5
notieren 1/12
November, der, - (mst. Sg.)
    6/1
Nummer, die, -n 3/18a
nur 4/4a
nutzen 2/13

O

Obst, das, * 4/1
oder 1/4
offiziell 6/15
Öffnungszeiten, die, nur Pl.
    7/13
oft 5/1
okay 2/4b
Oktober, der, - (mst. Sg.) 6/0
Onkel, der, - 5/1
Oma, die, -s/-s 7/12b
Oper, die, -n 7/17a
Orange, die, -n 4/Extra
Orchester, das, - 0/3
ordnen 2/7
organisieren 3/15a
Ort, der, -e 3/2
Österreicher/in, der/die,
    -/-nen 4/10a
Overheadprojektor, der, - 2/0

P

Paar, das, -e 4/5b
Packung, die, -en 4/4a
Pantomime, die, * 1/21
Papierkorb, der, "-e 2/1
Paprika, der/die, -s 4/16c
Paradeiser (A), der, - 4/1
Partner/in, der/die, -/-nen
    4/16d

Alphabetische Wörterliste

Party, die, -s 4/11
Pass, der, "-e 3/1
passen 2/3
passieren 1/Extra
Patient/in, der/die, -en/-nen
  7/6
perfekt 3/18a
Person, die, -en 1/2a
Personalausweis (D, A), der,
  -e 3/12
Pfanne (CH), die, -n 4/1
Pfirsich, der, -e 4/Extra
Pflanze, die, -n 2/0
pflanzen 6/3
*Pflege, die, * Ü7/6
Pfund (D, CH), das, -e
  4/4a
Pilz, der, -e 4/1
Pizza, die, -s/Pizzen 0/3
Pizzeria, die, -s/Pizzerien
  7/Extra
Plakat, das, -e 1/23e
Plan, der, "-e 7/17b
planen 4/16c
Platz, der, "-e 5/Extra
Plätzchen (D), das, - 6/3
plötzlich 6/7a
plus Ü1/14
*Politik, die, * 0/3
*Polizei, die, * 0/3
Porträt, das, -s 3/5
Poster, das, - 2/1
Postleitzahl (Abk.: PLZ), die,
  -en 3/2
präsentieren 7/17d
Preis, der, -e 4/11
Prinzip, das, -ien 6/Extra
pro 3/15a
Problem, das, -e 5/12
produzieren 4/10a
Professor/in, der/die, -en/-nen
  0/3
Programm, das, -e 7/17a
Prozent, das, -e 2/Extra
Pullover, der, - 4/1
Punkt, der, -e 1/4
pünktlich 3/15a
putzen 3/15a

Putzhilfe, die, -n 3/15a
Pyramide, die, -n 0/3

Q

Quiz-Show, die, -s 3/4
Quizmaster/in, der/die, -/-nen
  Ü3/4

R

Rabatt, der, -e 4/3
Radiergummi, der, -s 2/1
Radio, das, -s 0/3
Radiomoderator/in, der/die,
  -en/-nen 7/Extra
*Rat, der, * 6/Extra
raten: Raten Sie!, rät,
  hat geraten 1/8
Rätsel, das, - 1/13
rauchen 1/19
Raum, der, "-e 2/0
raus 6/24a
rechts 5/5
Regal, das, -e 8/0
Regel, die, -n 6/7e
Regen, der, - 2/12
Regenschirm, der, -e 6/7a
regnen (es regnet) 6/4
*Reichstag, der, * 7/Extra
Reihe, die, -n 3/1
reisen, ist gereist 3/0
Reisevorbereitung, die, -en
  3/8a
reparieren 3/15a
respektieren 3/Extra
Restaurant, das, -s 5/5
Rezept, das, -e 4/16a
Rezeption, die, -en 0/3
Rhabarbermarmelade, die, -n
  4/Extra
richtig 1/13
riechen, hat gerochen 4/9
Rollenkarte, die, -n 5/23a
Rose, die, -n Ü7/9
Rucksack, der, "-e Ü2/1

rückwärts 1/11
Ruhe, die, * 5/0
rund um ... 4/Extra
russisch 1/2b

S

Sache, die, -n 3/Extra
Sack (A, CH), der, "-e 4/4a
Sag mal, ... 2/4a
sagen 1/1
Salat, der, -e 4/1
Salatkopf, der, "-e 4/
*Salz, das, * Ü3/10
sammeln 6/1
Sammlung, die, -en 4/16b
Samstag, der, -e 6/1
Satz, der, "-e 3/8a
sauer (sauer sein) (1) 5/12
Schale, die, -n 4/4a
scheinen, hat geschienen
  6/5b
Scherzfrage, die, -n 6/Extra
schieben, hat geschoben 1/9
Schild, das, -er 1/Extra
schlafen, schläft,
  hat geschlafen 7/3
schlecht Ü7/14
Schlitten (Schlitten fahren),
  der, - 6/3
Schluss (zum Schluss), der, "-e
  7/Extra
Schlüssel, der, - 3/8a
Schnee, der, * 6/12
schneien (es schneit) 6/5a
schnell 3/15a
schnell, schneller 1/11
Schokolade, die, -n 0/3
schon 4/13b
schön 3/18a
schön, schöner, am schönsten
  7/0
Schon fertig? 1/2c
schon mal 3/18
Schrank (D, CH), der, "-e
  2/0
schrecklich 5/12

schreiben, hat geschrieben 0

Schreibtisch, der, -e 8/0

Schrippe, die, -n 4/11

Schritt, der, -e 1/2c

Schuh, der, -e 5/8a

Schule, die, -n 3/23

Schwamm, der, "-e 2/1

Schweizer/in, der/die, -/-nen
4/10a

Schwester, die, -n 5/1

schwimmen,
ist geschwommen 1/18a

schwül 6/5b

Seebad, das, "-er 7/Extra

sehen, sieht, hat gesehen
3/10

sehr 2/16

sein, (ich bin), ist,
ist gewesen 2/16

seit 5/1

Seite, die, -n 1/5

Sekretariat, das, -e 5/16

Sekunde, die, -n 6/Extra

selten 5/1

Semmel (DSüd, A), die, -n
4/11

Senior/in, der/die, -en/-nen
3/15a

September, der, - (mst. Sg.)
6/1

Servus. (A) 1/2c

sie 1/18a

Silbe, die, -n 2/14b

singen, hat gesungen 1/18a

sitzen, hat (D)/ist (DSüd, A,
CH) gesessen 5/5

Skizze, die, -n 5/Extra

Small Talk, der, * 3/Extra

SMS, die, - 3/23

so 3/15a

so ... wie 7/15a

so viel, so viele 4/10b

sofort 6/7a

Sohn, der, "-e 3/3

Sommer, der, - 6/2

Sonne, die, -n 2/12

sonnig (es ist sonnig) 6/5b

Sonntag, der, -e 6/1

Sonstiges 7/17a

Spaghetti, die, -s Ü2/16

Spanier/in, der/die, -/-nen
7/Extra

Spanisch, das, * 1/16

Spaß, der, "-e 5/0

spät 7/1

spazieren gehen,
geht spazieren, ist spazieren gegangen 6/7a

Spiegel, der, - 2/0

Spiel, das, -e 2/1

spielen 2/21a

Sport (Sport machen), der, *
3/0

sportlich 3/15a

Sprache, die, -n 3/18a

Sprachschule, die, -n 1/8

sprechen, spricht,
hat gesprochen 0

Sprichwort, das, "-er 6/Extra

Staatsangehörigkeit, die, -en
3/2

Stadion, das, PL.: Stadien
7/17a

Stadt, die, "-e 0/4

Stadtplan, der, "-e 3/8a

stark 6/4

Steak, das, -s 0/3

Steckbrief, der, -e 3/7

stehen, hat (D)/ist (DSüd, A,
CH) gestanden 2/20b

Stift, der, -e 2/9

stolz 5/21

stoppen 2/Extra

Straße, die, -n 3/2

Stress, der, * 4/13b

Stück, das, -e 4/4a

studieren 3/0

Studio, das, -s 7/Extra

Stuhl, der, "-e 2/0

Stunde (Abk.: Std.), die, -n
3/15a

stürmen (es stürmt) 6/5b

suchen 2/12

*Südeuropäer/in, der/die,
-/-nen* 7/Extra

summen 1/6

super 3/18a

Supermarkt, der, "-e 0/3

Suppe, die, -n 0/3

süß 5/5

Symbol, das, -e 0/3

T

Tabelle, die, -n 1/17

Tabu, das, -s 0/3

Tafel, die, -n 2/0

Tag, der, -e 6/1

Tag der offenen Tür, der, *
7/17a

Tagesablauf, der, "-e 7/15b

täglich 7/13

Tante, die, -n 5/1

Tasche, die, -n 2/1

Taste, die, -n 2/Extra

Taxi, das, -s 0/3

Technik, die, - 0/3

Tee, der, -s 5/19

Teilnehmer/in, der/die, -/-nen
2/16

Telefon, das, -e 3/23

telefonieren 3/15a

Telefonnummer, die, -n
1/12

Temperatur, die, -en 0/3

Tennis, das, * 3/18a

teuer 4/1

Theater, das, - 7/14c

Thema, das, Themen 0/3

Termin, der, -e, 7/10a

Ticket, das, -s 0/3

Tipp, der, -s 2/13

Tisch, der, -e 2/0

Titel, der, - 6/24a

Tochter, die, "- 3/3

toll 4/Extra

Tomate, die, -n 4/1

Tonne (Abk.: t), die, -n
4/10a

Topf (D, A), der, "-e 4/1

tot (tot sein) 5/1

Tote, der/die, -n 6/Extra

Tour, die, -en 5/13

Alphabetische Wörterliste

transportieren 6/Extra
traurig 5/23b
treffen, trifft, hat getroffen
   7/14c
trennbar 7/8
Trinken, das, * 0/4
trinken, hat getrunken
   3/0
trocken 6/23
Tschau. 1/2c
Tschüss. 0/2a
Tür, die, -en 2/1
Türkisch, das, * 1/16
türkisch 1/2b
Tüte (D), die, -n 4/4a

U

üben 4/16d
über 4/10a
überall/überall 3/18a
Uhr, die, -en 2/0
Uhrzeit, die, -en 6/14
um 6/19b
Umbauarbeiten, die, nur Pl.
   7/13
Umfrage, die, -n 3/21a
umhergehen, geht umher,
   ist umher gegangen
   0/2b
Umsatz, der, "-e 4/10a
und 0/1
... und wie! 6/5b
Universität, die, -en 0/3
unregelmäßig 7/10b
unten 4/13b
unter 3/15a
Unterricht, der, * 2/Extra
unterschreiben, hat unterschreiben 5/16
unterstreichen, hat unter-
  strichen 2/14a
Urlaub (D, A), der, -e
   5/22

V

Varieté, das, -s 7/17a
variieren 1/2c
Vase, die, -n 4/1
Vater, der, "- 5/1
Velo (CH), das, -s 3/15a
Veranstaltung, die, -en
   7/17c
verarbeiten 4/10a
Verein, der, -e 3/18a
vergessen, vergisst,
  hat vergessen 5/16
vergleichen, hat verglichen
   2/20b
verheiratet (verheiratet sein)
   3/0
verkaufen 4/0
Verkäufer/in, der/die, -/-nen
   4/5a
Verleih, der, -e 7/Extra
vermissen 5/1
verstehen, hat verstanden
   1/16
viel 2/15
viel, viele 2/19a
Vielen Dank! 0/2a
vielleicht 2/0
Viertel, vor/nach - 6/13
Visitenkarte, die, -n 3/12
Vitamin C, das, * 4/Extra
Volkskunde, die, * 7/Extra
vom ... bis (zum) ... 7/12b
von 2/6
von ... bis ... 7/1
vor 6/13
vor allem 4/Extra
Voraussetzung, die, -en
   3/15a
vorkommen, kommt vor,
  ist vorgekommen 1/Extra
vormittags Ü7/14
Vorname, der, -n 1/8
vorne 5/5
Vorsilbe, die, -n 7/8
vorstellen, stellt vor 5/23c
Vorteilscard (A), die, -s
   3/12
vorwärts 1/11

W

wachsen, wächst,
  ist gewachsen 4/Extra
wählen 2/Extra
wahr 7/Extra
wann 3/3
warm 6/5b
Wärme, die, * 5/0
warum 3/Extra
was 1/9
Was geht? 3/Extra
Was hätten Sie denn gerne?
   4/4a
Wäsche, die, * 7/3
waschen, wäscht,
  hat gewaschen 7/6
Wecken (D Süd), der, -
   4/11
wegen 7/13
weil 6/Extra
weiß 6/22
weit 6/Extra
weitergehen, geht weiter,
  ist weitergegangen 1/19
welcher, welches, welche
   1/14
Welt, die, -en 3/18a
wen 5/14
wenig 6/21
wenig, weniger 5/Extra
wenn 3/Extra
wer 1/2b
werden, wird, ist geworden
   3/12
Wettbewerb, der, -e 2/Extra
Wetter, das, * 6/5
wichtig 5/0
wie (1) 0
Wie bitte? 1/2a
Wie geht es dir/Ihnen?
   1/2c
wie immer 7/3
wie lange 7/3
wie viel, wie viele 4/2
wieder 7/Extra
wiederholen 2/5
windig (es ist windig)
   6/4

Winter, der, - 6/2
wir 2/15
wirklich 3/Extra
wissen, weiß, hat gewusst
   2/15
Wissenswertes 1/Extra
wo 1/2a
Woche, die, -n 3/15a
Wochenende, das, -n
   3/15a
woher 1/2b
wohnen 1/2a
Wohnort, der, -e 3/2
Wort, das, "-er 0/4
Wortakzent, der, -e 2/14
Wörterbuch, das, "-er 2/0
Wörterleine, die, -n 2/22e
Wörternetz, das, -e 6/22
Wunde, die, -n 6/Extra
wunderbar 6/7a

Z

Zahl, die, -en 1/13
zählen 1/11
Zähne putzen 7/1
Zahnarzt/-ärztin, der/die,
   "-e/-nen Ü7/14
*Zaziki, der, * * 4/13b
zeichnen 2/22a
Zeichnung, die, -en 3/22b
zeigen 2/2
Zeit, die, -en 3/15a
Zeitung, die, -en 3/15a
Zentimeter (Abk.: cm),
   der, - 3/2
Zentrum, das, Zentren 0/3
Zettel, der, - 7/17b
ziehen, hat gezogen 5/23b
Zigarette, die, -n 0/3
Zimmer, das, - 7/15a
Zitrone, die, -n 4/1

Zoo, der, -s 7/12b
zu Hause 6/7a
zu viel 3/Extra
zu zweit 1/2c
Zucchetti (CH), die, - 4/1
Zucchini (D, A), die, - 4/1
Zucker, der, - Ü3/10
zuerst 7/7
Zug, der, "-e 6/19b
zum/zur 5/17
zuordnen: Ordnen Sie zu.
   0
zusammen 5/0
zusammenpassen 5/2
Zuschrift, die, -en 3/15a
Zusteller/in, der/die, -/-nen
   3/15a
zuverlässig 3/15a
Zwiebel, die, -n 4/1
zwischen 3/15a

Unregelmäßige Verben im Perfekt. Lernen Sie:

Infinitiv	Präsens	Perfekt
anfangen	er fängt an	er hat angefangen
anrufen	sie ruft an	sie hat angerufen
aufstehen	er steht auf	er ist aufgestanden
bleiben	sie bleibt	sie ist geblieben
bekommen	er bekommt	er hat bekommen
essen	sie isst	sie hat gegessen
fahren	er fährt	er ist gefahren
gehen	sie geht	sie ist gegangen
kommen	er kommt	er ist gekommen
sehen	sie sieht	sie hat gesehen
treffen	er trifft	er hat getroffen
trinken	sie trinkt	sie hat getrunken

Bildquellenverzeichnis

DEUTSCHLAND, ÖSTERREICH UND DIE SCHWEIZ

1 = Basel-Stadt
2 = Basel-Landschaft
3 = Aargau
4 = Schaffhausen
5 = Thurgau
6 = St. Gallen
7 = Appenzell-Ausserrhoden
8 = Appenzell-Innerrhoden
9 = Unterwalden
10 = Nidwalden
11 = Glarus

Inhalt Lerner-CD – Übungen